ARCHIVES DES LETTRES MODERNES

225

problèmes du langage chez Valéry

(Cahiers et œuvres, 1894–1900)

textes réunis par
NICOLE CELEYRETTE-PIETRI

publié avec le concours de l'Université de Paris-Val de Marne

ARCHIVES

Paul Valéry

nº 6

PARIS — LETTRES MODERNES — 1987

SIGLES ET ABRÉVIATIONS USUELS

(Série *Paul Valéry* de la collection « La Revue des lettres modernes »)

ŒUVRES DE VALÉRY

C, I *Cahiers* (fac-similé intégral, t. I à XXIX). Paris, C.N.R.S., 1957–1962.

C1, C2 *Cahiers* (choix de textes) p.p. Judith ROBINSON. Paris, Gallimard, t. I : 1973 ; t. II : 1974.

Corr. FV FOURMENT, Gustave *et* Paul VALÉRY, *Correspondance (1887–1933)*. Paris, Gallimard, 1957.

Corr. GV GIDE, André *et* Paul VALÉRY, *Correspondance (1890–1942)*. Paris, Gallimard, 1955.

Œ, I *Œuvres*, t. I. Paris, Gallimard, 1980.

Œ, II *Œuvres*, t. II. Paris, Gallimard, 1984.

TQ *Tel Quel*, pp. 469–78 in *Œ*, II.

À l'intérieur d'un même paragraphe, les séries continues de références à une même source sont allégées du sigle commun initial et réduites à la seule numérotation ; par ailleurs les références consécutives identiques ne sont pas répétées à l'intérieur de ce paragraphe.

Toute citation formellement textuelle (avec sa référence) se présente soit hors texte, en caractère romain compact, soit dans le corps du texte en *italique* entre guillemets, les soulignés du texte d'origine étant rendus par l'alternance romain/*italique* ; mais seuls les mots en PETITES CAPITALES y sont soulignés par l'auteur de l'étude. Le signe * devant une séquence atteste l'écart typographique (*italiques* isolées du contexte non cité, PETITES CAPITALES propres au texte cité, interférences possibles avec des sigles de l'étude) ou donne une redistribution *| entre deux barres verticales| d'une forme de texte non avérée, soit à l'état typographique (calligrammes, rébus, montage, découpage, dialogues de films, émissions radiophoniques...), soit à l'état manuscrit (forme en attente, alternative, options non résolues...).

SIGLES ET ABRÉVIATIONS COMPLÉMENTAIRES
DES TEXTES DE RÉFÉRENCE

Anal.	« Analyse... »	
	Cahier « Analyse du langage » (1897)	pp. 141–51 in *C*, I
Jour.	« Journal... »	
	« Journal de bord »	pp. 1–69 in *C*, I
Log.	« Log-book »	pp. 123–40 in *C*, I
Self.	« Self-book »	pp. 83–122 in *C*, I
Tab.	« Tabulae... »	
	« Tabulae meae Tentationum »	pp. 167–362 in *C*, I

Mal.   Essai sur Mallarmé (1897) in « Mallarmé I », Valéry 13 (Département des manuscrits de la Bibliothèque Nationale à Paris).
       — reproduction partielle ci-après : *Mal.,* 116–26
       — les renvois des extraits non reproduits sont aux folios du manuscrit : *Mal.* ms, f°s 13 à 50.

Plan   « Plan pour le langage », f° 66 in « Notes anciennes II » (BN ms) inédites, contemporaines des premiers Cahiers   (reproduit ci-après, p. 128).

Sém.   la *Sémantique*
       « Michel Bréal : *La Sémantique...* », compte rendu de Valéry (« Revue du mois », *Mercure de France*, XXV, janv. 1898, pp. 254–60), reproduit pp. 1449–56 in *Œ*, II.
       B   Michel BRÉAL, *Essai de sémantique (Science des significations).* Paris, Hachette, 1897 / Saint-Pierre de Salerne, Gérard Monfort, 1982. Les renvois sont à cette édition.

les extraits de l'Essai sur Mallarmé ont été reproduits avec la gracieuse autorisation de Madame Agathe Rouart-Valéry

AVANT-PROPOS

Il paraît à l'heure actuelle de plus en plus nécessaire d'étudier dans une perspective historique la pensée de Valéry, d'en marquer les étapes et l'évolution, de situer ses réflexions dans le contexte d'un moment précis de l'histoire des idées. C'est dans ce cadre que s'est inscrite la journée d'étude organisée par le Groupe de recherches valéryennes de l'Université Paris-Val de Marne en mars 1985, pour une première approche des problèmes du langage chez Valéry de 1894 à 1900, dont on trouvera ici les résultats.

Dans la dernière décennie du XIXe siècle, Valéry commence à la fois la grande entreprise des Cahiers, et son œuvre en prose. Tout au long de sa vie, il se référera à cette période comme à celle des intuitions décisives sur lesquelles tout s'est construit, et notamment l'essai d'un « Système ». Pour l'homme qui a tout mis sous le signe de la *rigueur obstinée*, la critique du langage ne pouvait que s'imposer comme un point de départ absolu. Il écrit en 1900 : « *Ces années, j'ai étudié la langue et le temps. [...] Je pense à un langage plus général que le commun et parfaitement précis pour représenter la connaissance.* » (*C*, I, 876). Ces mots, comme le titre d'un cahier de 1897 : « Analyse du langage », invitaient à tenter de faire le point. À une époque où les sciences du langage en sont encore à chercher leurs méthodes, où Michel Bréal invente la *Sémantique*, quelques années avant le début du cours de

5

Saussure — que Valéry sans doute ne connaîtra pas — on le voit entreprendre une étude qu'il poursuivra toute sa vie et qui est alors féconde et complexe, projet, s'il faut en croire les lettres à Gide, privilégié bien que difficile.

Quelques textes en sont le témoignage. Sur ce corpus bien défini, et qui date pour l'essentiel de 1897-1898, se sont rassemblés des spécialistes venus d'horizons différents, valéryens et linguistes. On a voulu lire de plus près, en variant l'optique, comme Valéry — démarquant Pascal — disait qu'il fallait « ... *Penser* de plus près... » (*C*, I, 64) ; on a jugé utile de confronter les points de vue pour montrer la richesse et parfois l'ambiguïté d'un travail jamais dogmatique. À côté du grand chantier qui recueille aussi bien les ébauches que les trouvailles à conserver, on a découvert l'importance considérable de textes peu commentés et qui s'éclairent dans leur rapprochement : l'« Essai sur Mallarmé », inachevé, en grande partie inédit, dont nous donnons ici de larges extraits ; le compte rendu de l'*Essai de Sémantique* de Bréal, que Valéry donne au *Mercure de France* de janvier 1898, reproduit en note dans le tome II des *Œuvres* (*Œ*, II, 1449-56) ; le cahier « Analyse du langage » enfin, auquel il faut joindre des notes sur feuilles volantes, dont certaines prolongent le « Mallarmé ». Cet ensemble atteste la cohérence et le suivi d'une recherche sur le langage qui a sa place dans le contexte plus large du « Système » et de l'analyse de l'esprit, mais qui possède aussi son autonomie. La « classification des mots », la « théorie du verbe », celle de « la phrase élémentaire » sont autant de thèmes dont Valéry parle à Gide. Alerté par Bréal, il s'attache aux problèmes de la signification, de la compréhension, de la communication, quand « l'événement de langage » réussit. Fasciné par l'algèbre, il considère parfois le langage comme un calcul, où comptent avant tout les opérations abstraites, où les mots peuvent être traités comme des symboles aveugles. Précurseur de la psycholinguistique, il analyse les rapports entre le fonctionnement mental, notamment la mémoire, et la phrase. S'il considère en théoricien la triade *langage*, *sujet*, *réalité* que proposaient les Stoïciens et qu'on retrouvera chez Peirce, c'est en poète qu'il se confronte à l'activité métaphorique, utilisant largement, comme une forme d'expression privilégiée et parfois plus précise, les métaphores notamment scientifiques.

L'œuvre de Mallarmé (le poète, bien sûr, mais aussi sans doute l'auteur des *Mots anglais*, le Maître des mardis) est, plus encore que le livre de Bréal, l'occasion pour Valéry de tenter une synthèse, de rassembler dans un texte rédigé ce que les « notules » ne livrent qu'en fragments. S'y expriment presque simultanément méfiance et confiance à l'égard du langage, peut-être parce que Valéry y parle à la fois en poète et en apprenti linguiste ; parce que la mise en question des mots n'efface pas l'amour de la langue. Si, dès le début, il critique les abstractions de la philosophie, et projette de construire son « langage absolu », il a une conscience aiguë des possibilités multiples qu'offrent au poète les propriétés combinatoires des mots. Logique et poésie ici peuvent se rencontrer par l'appel à la construction de relations formelles.

À côté de Bréal et de Mallarmé, un nom s'impose quand on cherche les influences qui ont fécondé sinon façonné une pensée qui aime travailler dans la solitude : celui de Leibniz, que Valéry connut d'abord à travers Couturat, et dont la « caractéristique universelle » fascina un récepteur particulièrement attentif. L'article de J. Schmidt-Radefeldt, montrant l'importance et le retentissement d'une lecture de jeunesse, complétait avec une grande pertinence les actes de cette journée.

Valéry n'a pas encore trente ans quand il s'attache, avec un réel enthousiasme, à ces problèmes difficiles sur lesquels le XXᵉ siècle s'attardera. Il le pressent peut-être quand il écrit à Gide, pratiquant comme souvent la dénégation : « *Je sens* [...] *combien, si je publiais le recueil raisonné de mes* Questiones, *le lecteur éventuel s'embêterait.* » (*Corr.GV*, 370).

Nicole CELEYRETTE-PIETRI

1

L'ÉVÉNEMENT DE LANGAGE

par JEAN-CLAUDE COQUET

L ES prises de position de Paul Valéry concernant le langage sont globalement bien connues. J. Schmidt-Radefeldt en a présenté naguère un remarquable panorama[1]. Notre propos ici est un peu différent puisqu'il s'agit d'étudier quelques extraits des premiers Cahiers datés des années 1894 à 1897.

C'est à la fin de cette période que Valéry a eu entre les mains le livre devenu rapidement célèbre de Michel Bréal, publié en 1897 chez Hachette, *Essai de Sémantique, Science des significations*. Valéry ne pouvait guère avoir de meilleure source d'informations, car avec Bréal, comme il le dit dans son compte rendu de 1898, il tenait « *l'un des grands connaisseurs de tout ce qu'on sait et de tout ce qui est en linguistique* » (*Sém.*, 1450). De fait Bréal, qui occupait depuis 1864 une chaire de grammaire comparée au Collège de France, cumulait deux avantages : il était le continuateur de F. Bopp, considéré encore de nos jours comme le fondateur avec R. Rask de la linguistique moderne, et il se présentait en novateur puisqu'il mettait au centre des préoccupations des linguistes l'analyse de la signification et non pas l'histoire des formes.

Rappelons d'abord que les recherches sur le langage font valoir en même temps, dès le début du XIXe siècle, deux points de vue souvent conflictuels : l'histoire (la diachronie) et le système (la synchronie). Le projet même d'établir une comparaison entre les langues indo-européennes comportait cette ambivalence.

Si le chercheur penche du côté de l'histoire, il portera son attention sur la généalogie du langage et, finalement, sur l'idée d'une langue mère. Tel était pour F. Schlegel, dans les premières années du siècle, l'intérêt d'une [Grammaire comparée] *Vergleichende Grammatik*. Bopp a partagé cette opinion, lui qui « *espérait recréer la langue préaryenne originelle* »[2]. On peut aussi décrire les langues comme s'il s'agissait d'organismes naturels soumis à l'évolution. C'était le point de vue d'un autre Allemand (car, au XIXᵉ siècle, la linguistique se pense et s'écrit généralement en allemand), A. Schleicher. Or Bréal a pris parti contre toute forme de « *mysticisme linguistique* »[3] ; contre l'origine : « *En toute matière, l'origine est une illusion* » (*Sém.*, 1451), commente de son côté Valéry, et contre « *l'usage des métaphores vitalistes, évolutionnistes, qui servent à tout expliquer facilement* ». Il n'empêche ; les études linguistiques jusqu'à Saussure ont d'abord mis en évidence des transformations diachroniques et négligé les transformations systémiques. En témoignent encore, à la période qui nous intéresse, le livre célèbre de Darmesteter, *La Vie des mots, étudiée dans leurs significations* — noter la métaphore vitaliste —, publié à Paris en 1887 et qui se donne pour objet de « suivre les changements de l'expression, le mouvement de la pensée », ou celui de Littré, l'année suivante, préfacé et annoté par Bréal : *Comment les mots changent de sens*. Pourtant, on le voit en étudiant Darmesteter, la visée diachronique admet des paramètres variables ; soit l'histoire est « objective » : le grammairien décrit la vie du langage depuis son origine jusqu'à nos jours, histoire sociale en quelque sorte ; soit l'histoire est « subjective » : il s'agit alors d'apprécier « le mouvement de la pensée ». Sans doute, la linguistique avait-elle choisi comme premier modèle les sciences naturelles : les constituants du langage étaient des observables comme le son, le mot, etc., susceptibles de classification et de transformation. Par exemple, dans une perspective biologique, la synonymie devenait un cas de « *concurrence vitale* »[4]. Mais elle pouvait aussi en appeler à la psychologie, encore que cette discipline, comme n'a pas manqué de le relever Valéry, ait été à son époque bien fragile, voire nulle[5]. Le détour par l'exploration du domaine mental paraissait néanmoins inévitable si l'on voulait entreprendre l'étude de la part invisible du langage, la signification[6], et, fondamentalement, des « *opérations principales de la pensée* » (*Sém.*, 1451).

Revenons maintenant à la notion de système. Le mot même apparaît dans les titres d'ouvrage. Le traité de Bopp, le maître de Bréal, s'intitulait en 1816 : *Über das Conjugationssystem der Sanskritsprache...* [Le Système de conjugaison du sanscrit...] et Saussure publiait en 1879, à Leipzig, en français, son *Mémoire sur le système primitif des voyelles dans les langues indo-européennes*. Précisément à l'Université de Leipzig, et surtout à partir de 1870, les linguistes, que l'on appelle alors néo-grammairiens, dégagent des « lois » phonétiques (« *Lautgesetze* »). Ils insistent sur leur caractère impératif : aveugles, elles s'appliquent avec une aveugle nécessité (« *die Lautgesetze wirken blind, mit blinder Notwendigkeit* »). Si l'on change de domaine et que l'on passe de la phonétique, forme externe du langage, à sa forme interne, il faudra faire appel à un autre type de « loi » (« *innere Sprachgesetze* », disait déjà W. von Humboldt). Quand Bréal présente « Les lois intellectuelles du langage... », titre d'un article de 1883, il ne songe plus à établir des relations de nécessité mécanique comme l'avaient fait ses prédécesseurs, mais, plus modestement, en « *prenant le mot* [*loi*] *au sens philosophique, le* rapport constant qui se laisse découvrir dans une série de phénomènes ». C'est bien ce problème des régularités qui suscite l'intérêt de Valéry dès la première phrase de son compte rendu. Commencement abrupt ! « *Toutes les transformations que le langage peut subir doivent laisser invariables un certain nombre de propriétés : je le suppose* » (*Sém.*, 1449). Ayant réuni ces propriétés communes, il deviendrait possible de « *construire une loi de toutes les syntaxes* ». Point de vue sans doute chimérique, — « *ces problèmes sont maintenant inabordables* » (1450), ajoute-t-il, mais l'orientation est clairement définie : le langage est un « système de notations » parmi d'autres ; il faut en faire la théorie, tout en gardant soigneusement le contact avec le détail littéral. Ce n'est donc pas un hasard si, dans les premiers Cahiers, Valéry note, sans citer l'auteur, les trois lois de la *Sémantique* de Bréal, lois de spécialité, de répartition, d'irradiation. Il les illustrera largement dans son compte rendu ; il se contente ici de les citer rapidement (*Anal.*[7]). Mais dans les deux cas, il ne critique aucunement, ce que ferait maintenant un linguiste, la mise bout à bout de « lois » dont la première est de type morpho-syntaxique et les deux suivantes de type sémantique, comme si cette disposition ne faisait pas problème. Ajoutons que seule la première (loi de spécialité) est d'une portée très générale, puisqu'elle est censée formuler la tendance à la simplification, à l'œuvre, disait-on, dans toutes les langues.

Mais, comme on peut en avoir déjà une idée avec les citations du compte rendu, la réflexion de Valéry s'installe dès l'abord sur le plan qu'il considère le plus général ; non pas telle loi, mais la loi, par exemple, de « toutes les syntaxes ». Ce qu'il cherche à dégager, ce sera donc des relations fondamentales sans lesquelles le langage ne serait pas articulable, ainsi les oppositions fondées sur les couples variable-invariable ou continu-discontinu. Prenons le cas de la phrase et du mot.

Quand Valéry décrit leur statut, il se propose de faire apparaître ce qui est sous-jacent aux variations dues à des réalisations individuelles, à savoir, l'armature du langage, ce qu'il appelle l'« *invariation de la phrase* » (*Tab.*, 177). Dans son « Plan pour le langage » (v. *infra*, p. 128), il fait de même une distinction entre « *la phrase type élémentaire* », la phrase noyau en quelque sorte, et « *la phrase et les différences* ». Relevons enfin cette comparaison déjà utilisée par Humboldt : face à « *l'infinitude des choses* », il faut (noter la relation de nécessité) un « *système de numération* » (le mot est souligné deux fois), quand il s'agit de compter ; de même, il faut disposer d'un schème linguistique dénommé ici « *la phrase ordinaire* », quand il s'agit de parler. C'est à elle, à ses « *éléments nécessaires* » (*Mal.*, 122) qu'il revient de mettre en forme l'infinitude, le « *continu du non langage* » (*Anal.*, 149).

Le mot donne lieu à une analyse du même ordre. Avec Saussure, il s'efface devant « *les entités linguistiques qui ne se laissent déterminer qu'à l'intérieur du système qui les organise et les domine, et les unes par rapport aux autres* »[8]. Or, à cette époque pré-saussurienne, le mot, unité phrastique, est encore considéré sans réserves comme une unité linguistique, et même la principale. Précisons encore que, selon l'usage du XIXe siècle, c'est au son (souvent confondu avec la lettre) que l'analyste se réfère. Embrassant à son tour ce point de vue, Valéry note que le mot est invariant sur le plan sonore. À preuve, il « *disparaît si le son change* » (*Mal.*, 120), « *il est physiquement invariable* » (122). Le « *physique du mot* » n'est pas seul en jeu. La constante sonore est nécessaire mais non suffisante. On doit aussi postuler des lois d'invariabilité dans le domaine réciproque de l'esprit : « Il faut [encore la nécessité !] *que toutes les fois que le mot est produit, certains phénomènes psychologiques se produisent, c'est une chose* indéformable. » Ou encore, telle est la « *propriété fondamentale du Mot* » : « *Toutes les fois qu'il se représente certains phénomènes psychologiques constants se représentent (autres que ceux suscités par le physique du mot)* » (« Tabulae... », 177). Ainsi le mot apparaît peu à peu comme un *lieu de relations*. « *Nous appellerons mot* », écrit encore Valéry (et l'expression est significative de l'urgence des définitions en matière de langage) « *tout ce qui* [notons l'emploi du neutre] *introduit dans la connaissance se groupe avec des choses connues* [...]. *C'est un* invariable mental. *On le PENSE SANS L'ALTÉRER, et il revient toujours avec son cortège* » (*Self.*, 113). Valéry tient à cette formule écrite en majuscules. On la retrouve encore cinq fois dans nos textes : dans sa lettre à Gide (*Corr. VG*, 292), dans son ébauche d'essai sur Mallarmé (*Mal.*, 120), dans « Self-book » (soulignée) (*Self.*, 113), dans « Tabulae... » (175) et dans « Analyse... » (143). Si nous ajoutons que le mot, déjà invariable physique et invariable mental est aussi « *invariant par rapport à* μ *variations* » des objets constituant le « *système des réalités* » (*Self.*, 113) nous admettrons que, pour Valéry, le mot n'est pas, du moins sur ce plan, une donnée, mais une unité construite (nous voici proches de Saussure), unité à trois dimensions. Prenons l'exemple d'un objet particulier, disons une table, membre de la classe d'objets, Table (*Tab.*, 177). S'il subit des déformations légères, au-dessous d'un certain seuil, le mot qui le désigne n'a pas besoin d'être changé. La forme « table » demeure reconnaissable. Mais si l'on passe le seuil critique (« tous les corps sont élastiques et déformables et changent de volume avec le changement de température », nous enseigne le physicien), « *un autre mot devra intervenir. Ce mot sera peut-être forcé d'être plus vague, plus général* » :

Relation invariable (son)	....	*mot* (unité à 3 dimensions)	....	Relation invariable (esprit)

Relation
invariable
(réalité)

La mise en place de ce triple invariant nous éclaire sur la façon dont l'entier du langage est structuré. Il conjoint par « *convention* » (*Mal.*, 120) le physique et le mental (le signifiant et le signifié, comme on dira bientôt, abusivement) ; il disjoint cette unité de la réalité : il n'y a pas de correspondance entre les « *symboles verbaux* » (*Anal.*, 147) et le réel. Il ne faut pas « *confondre les mots et les choses* [...], *un livre n'est pas une existence,* [...] *un poème n'est pas la mer* [...], *une phrase n'est pas un homme, et* [...] *un mot n'est pas la chose qu'il désigne* » (*Mal.*, 124). Toutefois, s'il n'y a pas correspondance mutuelle, des relations locales existent, qu'il nous faudra préciser. Cette condamnation partielle de l'isomorphisme est d'ailleurs rapportée si l'on adopte soit le point de vue d'une théorie mathématique du langage (*Anal.*, 150) soit celui de « l'art » qui, comme chacun sait, vise justement à l'isomorphisme et donc « *(avec une belle* perspective*) à FORMER, à PRÉVOIR UN GROUPE HOMOGÈNE de* φ *et de* ψ » (148). Enfin, le langage est relativement indépendant du sujet qui l'emploie. Valéry le note : « *La relation de la forme extérieure d'un mot avec son corrélatif mental est* [...] *indépendante de l'esprit qui s'en sert* » (*Mal.*, 120). Et d'ailleurs, si les deux domaines n'étaient pas séparés, comment le sujet procéderait-il à un « *calcul* sur *le langage* » (noter le soulignement) (*Plan*, 118) ou, à l'inverse, comment le langage imposerait-il au sujet d'effectuer telle ou telle opération (« *toute phrase nous soumet à un travail...* » (*Anal.*, 149) ?

Avec l'introduction du sujet (et la conversion du système en discours, comme on dirait maintenant) se constitue une nouvelle problématique, celle de la compréhension. Relevons d'abord que l'acte de production et sa réciproque, l'acte de réception, font intervenir la relation élémentaire opposant le continu au discontinu. Le mot, la phrase relèvent du discontinu ; la pensée, du continu. « *La nature même de la pensée est une variation continuelle* », écrit Valéry (*Mal.*, 122). Or l'acte de production est orienté : c'est le continu qui agit sur le discontinu[9] :

J'ai montré que le mot considéré comme élément de la phrase est un objet invariable. Une suite de mots est donc <u>discontinue</u> par rapport à la variation de la pensée. L'existence du lecteur consiste à rendre cette suite continue en remplissant les intervalles des mots (ou plutôt des impressions psychologiques nées de ces mots) à l'aide de ses propres idées.   (*Mal.*, 123)

Inversement, c'est le discontinu qui agit sur le continu lorsque se produit l'acte de réception. Prenons de nouveau l'exemple du lecteur. Il est astreint à un double travail. L'un nous est déjà connu ; il est « *mesuré* [...] *par les productions psychologiques du sujet lesquelles ont pour but de passer continûment d'un point à un autre de la phrase* » (*Mal.*, 124). L'opération est orientée du continu vers le discontinu. L'autre, au contraire, lui est « *imposé par la forme propre de la phrase* » qu'il a sous les yeux. Cette seconde proposition est moins évidente. Toute nouvelle phrase, dit Valéry, le contraint à recomposer son univers de signification ; « *le travail accompli dans la lecture* » se mesure alors au « *changement de configuration du système* [lexical] » (124), — de l'ensemble signifiant, si nous traduisons en termes contemporains. Les mots agissent. Le sujet est transformé. C'est pourquoi l'on peut dire que le langage n'est pas seulement un outil de communication (ce qu'il est d'un certain point de vue), il est un *opérateur de transformation*. Il y a « *événement de langage* » (*Anal.*, 144) lorsque les mots perdent leur statut d'« *élément distinct* », « *sont assimilés* » et, finalement, adoptent une nouvelle combinaison. Couvert par une métaphore biologique (l'assimilation), ce processus de transformation qui met en branle successivement le niveau « physique » (la distinctivité) et le niveau « mental » des mots (« *un ordre particulier est imposé à leurs significations* » (*Mal.*, 123)) est invoqué chaque fois qu'il s'agit de montrer comment s'élabore la signification globale d'une phrase ; elle ne correspond pas à la somme des significations de ses parties. Si, par exemple, dans une suite d'éléments *a*, nous introduisons une coupure en un point quelconque de la chaîne, les éléments précédant la coupure « *s'annulent et ne laissent que le composé* » (*Tab.*, 245). Sous une forme autre que celle de la métaphore biologique, c'est affirmer de nouveau la nécessité de « *passer de l'idée de Somme à l'idée d'ensemble* ». Position proche de celle que défendra bientôt le gestaltisme.

À lire et à relire patiemment ces extraits des premiers Cahiers, on se persuade qu'il serait vain de prétendre résumer clairement les options théoriques de Valéry (à quoi il aurait pu rétorquer : « *On n'est jamais sûr d'être clair pour* tout le monde » (*Tab.*, 240) !). Tâchons du moins de dégager des tendances et revenons au problème crucial de la transformation. Pour prendre la mesure du travail accompli, il faut confronter l'état initial à l'état final. Or, nous partons de formes linguistiques préétablies ; elles constituent en quelque sorte un héritage cumulatif : « *Importance toujours croissante du "tout fait" en matière de langage* », notera par exemple Valéry (*Anal.*, 150). Dans le même Cahier, est appelé *donné* (« datum ») « *tout ce qui sera conçu comme fixe, et invariable* » (144). Si l'on porte son attention sur les « *combinaisons connues des mots* », on constatera de même qu'elles « *se ramènent aisément à un nombre de types restreint* » (*Mal.*, 126). Là est le lieu de la stabilité structurelle, de la « prégnance », comme le diront les gestaltistes et, à leur suite, R. Thom. Ce point de vue correspond à une sorte d'instance initiale dynamique (les mots agissent). La situation se complique si le sujet dialogue. Mais n'est-ce pas notre ordinaire ? L'individu « *fait tout ce qu'il peut pour* se comprendre — *lui qui se parle, avant tout, quand il parle* » (*Sém.*, 1454). Chaque sujet est d'abord riche de son propre fonds et s'il doit composer avec autrui, c'est par lui qu'il a dû commencer. Dans ce cas de figure, l'opération de transformation consiste donc en une sélection des traits réputés en partage :

Nous sommes vis-à-vis d'un autre individu comme les hommes vis-à-vis des hypothétiques Martiens. Correspondre avec ceux-ci demanderait des références communes [...]. Entre hommes nous avons bien plus de points présumés communs. Entre homme, encore plus.

(*Tab.*, 177)

Cette notion de référence commune se retrouve également chez les linguistes. Qu'est-ce que le signifié par exemple pour Saussure, successeur, rappelons-le, de Bréal, à l'École pratique des Hautes Études, si ce n'est « *le résumé de la valeur linguistique supposant le jeu des termes entre eux* »[10] ? Et qu'est-ce que le sens d'un mot pour son disciple Meillet, sinon, dans la perspective d'une mise en fonctionnement du système, les emplois dictés par l'usage ? Mais il y a d'autres cas de figure. Valéry s'attaquant à cette « question peu connue » de la compréhension avance une définition impliquant que le sujet n'est nullement atteint par le processus. Ce qu'il était, il le reste : « *Comprendre n'est* [...] *que pouvoir substituer un arrangement organisé d'idées préexistantes chez celui qui comprend à un certain groupe discontinu de mots.* » (*Mal.*, 123). Transformation identique, pour reprendre les termes de J. Piaget ; il y a bien eu suite d'opérations, en fait un programme, mais il n'en reste aucune trace : « *Dans la majorité des cas et surtout dans l'usage courant de la parole, nous substituons si aisé-*

ment nos idées connues *à toute phrase que nous oublions sur le champ tous les intermédiaires entre la pensée inconnue de notre interlocuteur et la nôtre.* » (124). Tout à l'opposé, la transformation peut avoir une telle portée que c'est l'identité même du sujet qui devrait être modifiée. La fonction de la « phrase » est alors aux yeux de Valéry non seulement de « *produire une sorte de changement de configuration [des idées] dans un système donné et nécessairement préexistant* », mais d'atteindre, après avoir excité successivement « *chacun des éléments psychologiques* » du réseau, le « *système complet de tout l'esprit* » (121).

En insistant sur le langage et le sujet, nous avons présenté en fait ce que nous croyons être les deux premiers niveaux de la théorie sémantique que tente de construire Valéry. Nous avons d'abord introduit les termes intrinsèques du langage : le physique (discontinu) et le mental (continu) ; puis ajouté un paramètre (deuxième niveau) : le sujet, et examiné les opérations dont il est le siège : le sujet occupe la position du patient (il est informé par le langage) ; il occupe la position de l'agent (il informe le langage). Il reste le troisième niveau en fonction duquel les deux autres s'ordonnent, la réalité.

« [...] *je montrerai que le langage n'a d'existence que par son rapport régulier avec la réalité* » (*Mal.*, 119). Valéry malheureusement n'en dit pas plus long dans les textes qui nous ont été confiés. Jouons donc un instant à l'Allemand pour suivre l'idée et cherchons quelques critères[11]. Le premier est nécessaire mais non suffisant. Seuls les mots dont les images variables sont bornées par un concept fixe sont susceptibles de garder le contact avec la réalité. C'est le cas du mot *arbre* (Saussure fera le même choix), ou de *cheval* ou de *table*... De tels mots « *puisent leur image dans un cas particulier de la réalité* » (*Tab.*, 241). D'autres, plus complexes, n'y sont pas réductibles ; ils « *composent en images, ainsi Terre, le Déluge,*

Armée etc. » ; d'autres encore sont indéterminés ; « *ils ne donnent pas d'images légitimes - ainsi Raison etc.* » Seuls les mots du premier groupe nous intéressent. Leur stabilité structurelle fait qu'ils sont immédiatement compréhensibles. Mais la « référence commune » mentionnée dans le tableau de « Analyse du langage » (10) (sous l'abréviation « R.C. ») ne peut être seulement rapportée au type de liaison lexicale : image variable, concept fixe. Sinon il n'y aurait pas de différence à faire entre des mots rangés dans le même ensemble comme *arbre* ou *calcul*. S'ils diffèrent pourtant à l'évidence, c'est que la référence est aussi, traditionnellement, un renvoi à l'univers matériel. Cette condition posée, un mot comme *calcul* sera donc exclu, du moins provisoirement. Tel est le second critère : « *Il faut* [...] *trouver une commune mesure, une référence unanime, un objet qui résiste aussi à notre pensée incessante. C'est un tel objet que nous nommons* réalité. » (*Mal.*, 119). De ce point de vue, seront privilégiées par Valéry la sous-classe de substantifs dénommant des objets du monde (le premier groupe), et aussi certaines formes simples de l'expression faisant intervenir plutôt le corps que la parole, comme le *soupir* ou le *cri* : « *Ici il y a relation entre le signe et la chose signifiée* » (*Tab.*, 177). Le réel n'est donc pas perdu (v. *supra*). En imitant par exemple un soupir, « *nous nous replaçons dans la situation mentale d'où il provient* ». En prononçant le mot *piqûre*, nous ressentons comme une piqûre et nous pouvons répéter l'expérience (*Anal.*, 143). Il ne s'agit pas simplement du contact avec une représentation. Remarquons-le : Saussure ne définira pas autrement l'image acoustique : « *représentation que nous* [...] *donne le témoignage de nos sens* »[12]. Il s'agit de la réalité même, de la réalité sensible, encore que l'on doive parler d'une réalité seconde, puisqu'elle ne peut être expérimentée que par l'entremise du langage. Le mot remplace « *dans une certaine mesure* » (*Anal.*,

20

143) la sensation d'origine et « *la référence commune sera la piqûre* ». Là est « *l'objet qui résiste* », là est la « *réalité* » à laquelle — et c'est heureux — le sujet se heurte.

Malgré son éloignement de fait dans le temps et dans l'espace, la présence de la réalité sera donc un critère de réussite : « *L'événement de langage a réussi lorsque après assimilation tout dans l'esprit récepteur se passe comme si les faits et objets liés aux mots y avaient lieu.* » (*Anal.*, 144). Des deux exemples avancés ensuite par Valéry, le premier (une fête) implique le passage de l'unité mot au récit : « *On se souviendra d'avoir assisté à une fête dont on n'a que lu la description etc.* » Le second (un problème) est non figuratif ; il nous oblige à réintroduire l'exemple du « calcul », écarté précédemment. Lui aussi a son attache avec le réel comme toute opération cognitive : « *On apercevra plusieurs cas particuliers — racines d'une proposition abstraite qu'on a lue.* » L'investigation du « Champ de connaissance » (142, 147) suppose d'une certaine manière une activité sensorielle. Car l'aperception n'est pas seulement un phénomène intellectuel ; elle est — il faut insister sur ce point — un phénomène sensible. Voie ouverte vers un « accord » que le langage réalise parfois, nous l'avons vu, entre le physique et le psychique (147). La réalité (même si elle participe du « comme si ») est donc le tiers terme grâce auquel s'établit une axiologie, d'ailleurs dans notre cas, plus individuelle que collective : présente, l'événement de langage sera une « réussite » ; absente, un « échec ».

« *Pourquoi me suis-je intéressé à tant de choses ?* » (*Tab.*, 185), se demandait Valéry. Il est vrai... L'analyste aurait sans doute préféré ici ou là moins de richesse et plus de formulations abouties. La difficulté a été parfois grande de faire apparaître des choix significatifs pour le linguiste d'hier et d'aujourd'hui. On pourrait encore objecter que certaines vues datent de l'antiquité... Valéry considère comme relativement autonomes les trois entités dites : langage, sujet, réalité. Or la triade, sous des étiquettes comparables, a aussi été retenue par les Stoïciens et, plus près de Valéry, par C.S. Peirce, le père de la sémiotique américaine. Un examen un peu détaillé de ces prolégomènes suffit pour mettre en lumière l'originalité théorique de Valéry.

Revenons, pour conclure, sur l'essentiel, la pensée du tiers. Contrairement à Bréal qui engageait les recherches plutôt vers l'analyse des « *causes intellectuelles qui ont présidé à la transformation de nos langues* »[13], y compris les changements de signification des mots, ou encore vers la prise en compte de l'élément subjectif du langage (comment une langue, par exemple, marque-t-elle une prise de possession sur la personne ou sur les choses ?)[14], le Valéry des premiers Cahiers s'est inscrit dans la perspective du gestaltisme et de ce que sera le structuralisme « réaliste » de Roman Jakobson. Là même où se situe la pensée linguistique de René Thom.

1. Jürgen SCHMIDT-RADEFELDT, *Paul Valéry linguiste dans les Cahiers* (Paris, Klincksieck, 1970).

2. M. LEROY, *Les Grands courants de la linguistique moderne* (Presses Universitaires de Bruxelles et de France, 1964), p. 21.

3. Brigitte NERLICH, *La Pragmatique. Tradition ou révolution dans l'histoire de la linguistique française.* Ce travail, remarquablement documenté, est à paraître. Il a été présenté comme « Inaugural-Dissertation » à l'Université de Düsseldorf en 1984.

4. A. Darmesteter cité par S. DELESALLE, « Sémantique, norme et esthétique à la fin du XIXᵉ siècle », *L'Histoire de la langue française* (1889-1914), *éd.* G. Antoine et R. Martin (Paris, C.N.R.S., 1985), p. 555.

5. Valéry déplore la « *nullité de la psychologie* » dans son compte rendu (*Sém.*, 1450).

6. « *La science de la signification fait partie de l'histoire de la psychologie* », selon Darmesteter, cité par S. DELESALLE (*op. cit.*), p. 553.

7. BN ms, fo 10 du manuscrit, omis dans le fac similé.

8. É. BENVENISTE, *Problèmes de linguistique générale*, I (Paris, Gallimard, 1966), p. 21 ; « *Il faut chercher l'unité concrète ailleurs que dans le mot* », écrit Saussure dans le *Cours de linguistique générale* (Paris, Payot, 1916). V. dans les éditions courantes, p. 148 (Payot, 1968).

9. C'est aussi ce que disait Bréal dans sa *Leçon* inaugurale du Collège de France de 1863 : « *L'esprit pénètre la matière du langage et en remplit jusqu'aux vides et aux interstices.* » Cité par B. NERLICH (*op. cit.*), p. 29.

10. F. de Saussure, cité par R. GODEL, *Les Sources manuscrites du Cours de Linguistique générale* (Genève, Droz, 1957), p. 237.

11. Valéry souhaitait trouver pour classer ses papiers « *un noir, un jaune, et un blanc secrétaires* » (*LQ*, 134-5) et aussi « *un Allemand qui achèverait* [*ses*] *idées* » (*C*, V, 671).

12. F. DE SAUSSURE, *Cours de linguistique générale* (Paris, Payot, 1964), p. 98.

13. M. BRÉAL, *Essai de sémantique...* (Paris, Hachette, 7e éd., 1924), p. 5.

14. C'est pourquoi la pragmatique pourrait placer Bréal parmi ses fondateurs ; v. le travail de B. NERLICH (*op. cit.*).

2

PHYSIQUE DU LANGAGE

par Bernard LACORRE

L E langage constitue un problème difficile dans les Cahiers, et épineux pour Valéry lui-même. La méthode de Valéry est celle dont la géométrie et la mécanique donnent l'exemple dans le domaine physique. Quoi que ce soit qui tombe — une feuille morte, un couvreur, une bombe —, sa chute est intelligible et calculable selon la même équation. La mécanique traite comme quelconques des objets par ailleurs pleins de signification. La lettre à Fourment du 4 janvier 1898 (*Corr. FV*, 146-51) expose les raisons d'adopter le même point de vue dans le domaine psychique — auquel appartient le langage. Mais que reste-t-il de ce dernier lorsqu'on en soustrait la signification ? Ne faut-il pas répondre, avec Destutt de Tracy, « un vain bruit »[1] ? Penser le signe sans la signification, sans pour autant le réduire à l'inanité sonore, n'est cependant pas un problème essentiellement différent de celui que pose la conception d'un psychisme sans âme et d'un esprit sans l'Esprit. Peut-être suffit-il de considérer que « *le langage est un instrument de* communication *et* de calcul » (*Tab.*, 270). La communication est une classe d'opérations où la signification n'est pas, la plupart du temps, prise en compte, et le calcul exige qu'on se préoccupe aussi peu que possible de la signification des symboles qu'on manœuvre. L'objet que

Valéry construit sous le nom de langage se comprend sans doute mieux si l'on songe aux analogies qu'il peut présenter avec le calcul et certains moyens de communication, telle la monnaie. Il serait abusif de parler de modèles ; cependant les concepts de la dynamique — force, travail, énergie — et l'efficacité du calcul algébrique et de l'arithmétique de position ont certainement ouvert à Valéry les voies de sa conception du langage.

le signe réduit à sa plus simple expression

L'idée que le langage est une algèbre est courante chez les Idéologues : elle relève de la tradition de la langue universelle. Mais alors que les Idéologues voient dans cette comparaison un motif de chercher le perfectionnement logique de la langue, Valéry y cherche plutôt le moyen de caractériser le langage indépendamment de la signification. Le calcul utilise en effet des algorithmes qui permettent de traiter les symboles comme des signes aveugles. C'est pourquoi d'ailleurs des machines à calculer sont possibles. Il n'est pas sûr qu'il faille voir dans la définition de la pensée symbolique comme une pensée aveugle, une critique du symbolique ; plus le symbole est aveugle, plus sûr est le calcul. Il ne s'agit que de fixer une fois pour toutes les sens par une définition.

Dans l'ensemble des phénomènes linguistiques, ce qui s'approche le plus des symboles aveugles du calcul, ce sont les « mots ». Valéry n'emploie presque jamais le terme *signe*. C'est un abus fréquent que de confondre des unités de signification avec des entités typographiques. Chez Valéry c'est un propos délibéré, qui procède d'une vue systématique. Le mot, isolable dans un texte, offre une configuration stable et invariante. À l'invariance, qui est la condition capitale de la communication, Valéry attache une grande importance. La formule du « Self-Book » — « *Le mot, on le PENSE SANS*

L'ALTÉRER » (*C*, I, 113) — sera maintes fois reprises. Dans
« Tabulae... » on lit : « *Si le mot était considéré comme
variable il perdrait toute sa valeur* » (177). La parole, qui
transforme les mots en vocables, est perçue comme une
menace : elle risque de porter atteinte à ces signaux indéfor-
mables que sont les mots (cf. « Log-Book » : « *Quelle atteinte
est portée par la voix aux mots ?* » (139) ; « Analyse... » :
« *Déformation vocale des significations par le ton de la voix.
Limites de cette action* » (147)). On peut remarquer que cette
invariance revêt d'emblée un caractère essentiellement physique : il s'agit de la stabilité d'une forme, bien plus que de
la définition d'un sens.

Lorsque Valéry traite du langage c'est donc toujours sous
la condition de l'*écriture*. Laquelle permet, par la solidité
qu'elle confère aux mots, de mieux dissocier le langage de la
signification : « *Ici, le fait immobile est l'écrit ; il est capital
de le séparer de toute impression, de toute signification
d'abord pour n'en retenir que la structure* » (*Self.*, 85). Cette
structure est simple : une distribution de mots sur une page,
noirs sur blanc, comme des atomes dans le vide et qui ne
présente d'autre régularité que l'ordonnance linéaire qui en
commande la lecture. Les ingénieurs de la communication,
lorsqu'ils décrivent ce qu'ils appellent un langage ne se donnent pas plus que ces trois éléments : un *alphabet*, qui est un
ensemble de signaux, un *blanc* qui assure la distinction des
mots et permet la lecture du message, des séquences de
signaux (appartenant à l'alphabet augmenté du blanc) qui
sont dites *catènes*.

Ramener le langage à ces conditions élémentaires de la
communication ne va pas de soi. En effet la phrase constitue
un *tout* muni d'une organisation *complexe*, entraînant en particulier une métamorphose des mots. Il s'agirait de la réduire
à une *séquence* de mots *invariants* dont seuls comptent la

position et le *nombre*. D'une transformation analogue le passage de l'arithmétique romaine à l'arithmétique de position fournit l'exemple. Valéry constate que non seulement la voix, mais l'organisation de la phrase fait varier les mots. Et comme il faut comprendre le sens pour reconnaître le même mot affecté de formes variées, le sens devient une instance déterminante de l'organisation du syntagme, alors qu'il devrait en être le produit calculable. Ainsi par exemple le même verbe a-t-il des formes distinctes dans la conjugaison : *aller* à l'infinitif, *je vais* à l'indicatif, *j'irai* au futur. Dans les considérations de cet ordre on voit nettement comment se mêle ce que Valéry voudrait trouver dans le langage et ce qu'il est bien obligé de constater. On lit par exemple dans « Tabulae... » (183) : « *Chaque variation d'un mot (temps d'un verbe, genre, déclinaison) constitue un mot différent* ». C'est un constat pour autant que s'applique la *loi de spécialité* énoncée par Bréal[2] ; elle consiste en la substitution, au cours de l'histoire, de « *séries de mots invariables formant des concepts indépendants* » (*Sém.*, 1452) à des signes métamorphosables. Mais aussi bien un vœu : si cette substitution était pleinement réalisée, toute syntaxe se réduirait à une syntagmation et la phrase à une séquence de signaux. L'énoncé a bien un caractère linéaire, reconnu par Valéry (dans « Analyse... » il écrit : « *Il y a lieu de l'étudier dans un espace à une dimension* » (*Anal.*, 150)) mais on est encore loin du moment où il ne sera plus nécessaire de prendre en compte que la position des mots. C'est pourtant en supposant ce moment arrivé que Valéry peut envisager des recherches du type suivant : « *Je suppose qu'on numérote une phrase construite absolument selon la logique grammaticale, et puis on l'arrange. On a une série de permutations dont un certain nombre est interdit* » (*Self.*, 112). De telles recherches permettraient de dénombrer non seulement des classes d'énoncés mais aussi des classes de mots. On parviendrait ainsi à construire une sémantique indépendante de la signification. Valéry répète souvent que la classification des mots en abstraits/concrets est tout à fait insuffisante. Mais il y a là des difficultés qui ne peuvent être surmontées que dans l'ordre de la fable (« *En ce temps-là, les hommes avaient construit une machine qui formait toutes les combinaisons des* mots — *en forme de propositions.* » (1922 ; *C*, VIII, 786). Ces difficultés non surmontées n'empêcheront pas Valéry de porter assez loin, comme on va voir, les conséquences de ces vues. Auparavant, il faut préciser les informations obtenues du modèle de la monnaie.

le bon usage de la valeur

Le langage se compare à la monnaie comme chez Mallarmé où la disparition du sens dans l'échange marchand a l'allure d'une catastrophe : « *Le numéraire, engin de terrible précision, net aux consciences, perd jusqu'à un sens* »[3]. Cette terrible précision, cette netteté aux consciences avaient tout pour séduire Valéry. Le modèle de la monnaie est quasi explicite. On lit dans une page de « Docks », au milieu d'un programme de travail : « *Approcher encore de la réalité de la pensée et de la réalité de l'abstraction. Chercher à étudier la finance et le commerce* » (*C*, I, 75).

La monnaie est toujours considérée, non sous la forme de la quantité continue, mais de la quantité discrète que réalisent les pièces de monnaie. L'essentiel des conceptions relatives à la monnaie est donné dans un texte qui se trouve au tout début du « Journal de bord » sous le titre « Analyse de la valeur de l'argent » :

Une pièce de monnaie remplace un objet à un certain point de vue. Elle existe entre autant de personnes à qui cet objet est susceptible de servir. Elle est le modèle *mécanique* qui remplace certaines qualités de certains faits ou objets. Elle est une anastomose relative à la spécialisation des travaux et des sols. Plus on a été, plus elle a représenté d'échanges possibles. Elle est devenue la mesure de la différenciation. C'est la commune mesure de tous les [*inachevé*]   (*C*, I, 8)

La pièce de monnaie est, comme le mot, un invariant. Parmi toutes les marchandises qui s'usent, se détériorent ou tout simplement se consomment — bref qui *varient* — la monnaie demeure inaltérable. C'est la raison pour laquelle elle peut servir à mesurer la valeur des autres marchandises. L'idée revient souvent que le langage est mesure :

Supposons qu'il faille un alphabet pour correspondre avec les Martiens, il faudra trouver une commune mesure quelconque —

(*Tab.*, 176)

En quoi renseigne-t-il sur phénomènes mentaux ? Mesure exacte.
En quoi   —   —   —   physiques ?   — — —

(*Anal.*, 142)

La pièce de monnaie ne se contente pas de représenter, elle remplace. Comme le mot elle est propre à produire certains des effets de la chose.

On sait que par la suite, Valéry exploitera la distinction entre la valeur fiduciaire des jetons de monnaie et la valeur réelle qui la gage, pour exiger la convertibilité des mots en choses comme on pouvait exiger la convertibilité du papier-monnaie en or. Derrière cette exigence, il en existe une autre, plus profonde : il s'agit que la monnaie — y compris l'or — ne s'émancipe pas de sa fonction de communication pour devenir l'objet même de la spéculation. Il s'agit, autrement dit, de faire en sorte que la valeur d'échange puisse toujours se convertir en valeur d'usage. Là est peut-être la clé de l'intérêt porté par Valéry à Marx si l'on songe en particulier à l'idée que, dans la production capitaliste, le rapport entre la monnaie et la marchandise s'inverse : au lieu que la monnaie serve à faire circuler la marchandise, le commerce des marchandises sert à accroître le capital.

L'idée que la pièce de monnaie « anastomose » est digne d'être relevée. Valéry aime beaucoup le mot *anastomose* qui dénote toujours chez lui quelque chose de positif. Il y a une corrélation évidente entre la division sociale du travail et le développement de la monnaie. Dans la mesure où la pièce de monnaie anastomose, fait communiquer des choses qui autrement demeureraient séparées et hétérogènes, elle constitue un instrument d'exploration de la diversité tout autant qu'un instrument de réduction du divers à l'un. Il semble bien que Valéry ait vu dans le mot un pouvoir analogue, qui permet de contraindre une intelligence à penser un rapport entre des choses éloignées, et, par là, communiquer l'invention : « *Tout ce que l'on écrit, il faut que cela ait un certain rapport avec une réalité fixe. Sinon pas de compréhension possible — En moi, peuvent se toucher A et Z, parce que cela vient ou que je le veux, ou autrement. Mais en vous cela ne vient pas et vous ne voulez pas. Alors je les rattache à quelque chose que vous admettez aussi forcément que possible* » (*Tab.*, 284).

physique du langage

On peut essayer à partir de là de comprendre la manière dont s'opère la compréhension — dont l'opération symétrique est la formulation. Il est entendu qu'une phrase n'est qu'une séquence de mots et qu'un mot est, comme une pièce de monnaie, un équivalent de la chose. Précisons : non pas une image de la chose, mais un quantum d'énergie propre à stimuler une réponse. Un mot est un signal. L'exemple même choisi par Valéry est très significatif. C'est celui du mot *piqûre*. D'ailleurs il conclut sa définition de la référence en soulignant que « *la chose intéressante et importante est qu'une chose qui n'est pas une piqûre produise certains effets d'une piqûre* » (*Anal.*, 143). Dans le système $I + R^4$, la substitution de R' à R — R' étant le mot — ne modifie pas l'équilibre des forces. Lorsque l'événement de langage a réussi, « *tout dans l'esprit récepteur se passe comme si les faits et objets liés aux mots y avaient lieu. On se souviendra d'avoir assisté à une fête dont on n'a que lu la description* » (144).

On voit que Valéry est fort éloigné de comprendre l'arbitraire du signe, dont il affirme le principe, à la manière saussurienne. Pour Saussure la solidarité, dans le signe, entre le signifié et le signifiant est extrême ; l'idée d'arbitraire recouvre la totale étrangeté mutuelle entre le signe et le référent. Il en résulte en particulier qu'il est extrêmement difficile, si l'on suit Saussure, de distinguer concept et signifié et par conséquent d'émanciper la pensée du langage. Pour Valéry au contraire il y a une indépendance de la pensée à l'égard de l'expression verbale ; conception et expression sont deux moments distincts : « *Pour dire une phrase, il faut avoir connaissance d'une certaine quantité de pensée (à exprimer), la supposer finie et arrêtée : tâcher de placer l'auditeur dans la même situation...* » (*Anal.*, 147). Dans la compréhension d'une phrase le travail de l'intelligence se joue essentiellement dans les *blancs* qui sont des espacements de signaux et non des articulations de la signification. En affirmant cette indépendance de la pensée et des mots, Valéry est très proche de la conception traditionnelle de l'arbitraire du signe. En revanche, il en est fort éloigné lorsqu'il insiste sur la très forte corrélation entre le mot et le référent : le mot « *place l'être dans une situation après piqûre* » ; un peu plus bas on lit : « *Produire à tout instant des effets de sensation* » (143).

Le mot sollicite un certain travail qui permet de rendre compte de l'effet du message — une séquence de mots. La communication a bien lieu par les mots, mais elle n'est pas un transport des mots : l'émetteur se contente d'appuyer sur les mots comme sur des touches. Il fournit un programme : c'est le récepteur qui fournit le travail. « *Toute phrase nous soumet à un travail entre des éléments* fournis *par nous et* disposés *par un autre* » (*Anal.*, 149). Le travail fourni par le récepteur à partir du mot est compris sous le concept de *développement*. « *Tout mot est susceptible d'un développement* » (*Self.*, 109). Il se définit de la façon suivante : « *Les choses implicites de l'imagination permettent à* tout le monde *de développer une expression quelconque à partir du mot* » (117). Il faut se garder de confondre cette expression avec une définition. Une définition c'est le substitut d'un terme. Lorsqu'on effectue la substitution, on ne change pas la syntaxe. Au contraire, le développement consiste à faire rayonner, à partir des mots, un réseau de chemins dans l'espace blanc qui les sépare. Il sature cet espace. On peut donc définir le développement comme un libre déploiement syntaxique de la charge sémantique d'un mot.

La phrase, c'est-à-dire la disposition des mots dans une séquence, est alors une contrainte sur le développement conjoint des mots. Il s'agit de faire en sorte que le réseau formé par le déploiement syntaxique des mots définisse un *circuit*, c'est-à-dire un chemin qui, ne laissant aucun mot isolé, annule la résistance qu'offrait leur espacement. Comprendre, c'est boucler le circuit. On trouve la description de cette opération dans « Tabulae... » (173) et de façon très claire dans l'essai sur Mallarmé :

Si nous proposons, maintenant, à cet esprit particulier, une phrase, nous saurons, avant tout, qu'elle forme avec lui un *système*. Tous les mots de la phrase étant *connus* du lecteur, c'est-à-dire liés d'avance à certaines propriétés de ce lecteur, l'existence de la phrase consiste à changer le certain *ordre* initial des idées que chacun des mots entraîne invariablement avec lui. La phrase a pour fonction de produire une sorte de changement de configuration dans un système donné et nécessairement préexistant. On dira, rigoureusement, qu'elle accomplit un travail sur l'esprit du sujet. (*Mal.*, 120-1)

33

Il y a des phrases qui exigent un minimum de travail. D'autres, au contraire, dont la syntaxe est désarticulée, exigent un maximum de travail. Ce sont celles que Valéry rencontre chez Mallarmé. Il est probablement vain de chercher dans les conceptions de Valéry sur le langage, la trace des leçons qu'il aurait pu tirer de la conversation de Mallarmé ; c'est le *texte* mallarméen qui est ici décisif. Il y brille une volonté : « *J'appelai, de ce nom quelconque, les sensations que me donnait la marche d'un langage qui évitait à chaque instant mes prévisions ; qui s'interdisait de prendre des habitudes, qui rompait régulièrement les groupes endormis, endurcis, des idées implicites ; qui rendait infructueuse l'expérience d'un liseur rapide* » (*Mal.*, 118). On peut risquer, pour illustrer la marche d'un tel langage, l'exemple simpliste de l'inversion du complément d'objet direct et du complément d'objet indirect. La phrase naturelle, c'est par exemple : « Je donne du pain aux malheureux ». La phrase « volontaire » sera : « Je donne, aux malheureux, du pain ». Une telle phrase oblige au développement : chaque mot nouveau constitue d'abord une probabilité puis, énoncé, une contrainte sur les développements engagés. Je donne... une gifle, de l'argent, une leçon, etc. Je donne aux malheureux... une consolation, du travail, une raclée baudelairienne, etc.

La phrase naturelle se réduit presque à un mot : le potentiel d'excitation et par conséquent l'information y sont à peu près nuls. Au contraire, dans la phrase volontaire, le propos porte parce qu'à la fois il excite et contraint l'intelligence. La notion de syntaxe est ainsi chez Valéry tout à fait indépendante de la structure grammaticale. Plus exactement elle renvoie à des structures plus générales que les structures linguistiques, qui peuvent faire songer aux chaînes de Markhov.

Valéry s'est efforcé de concevoir les conditions générales de la communication sous le concept de « phrase élémentaire ».

Un certain nombre de remarques éclairent la formation de ce concept.

— Le lecteur a tendance à boucler le circuit au plus vite ; il « *tend à deviner la phrase par un mot et la page avec une phrase — ou plutôt par* p *mots quelconques de la page* » (*Tab.*, 307).

— La plupart des messages sont redondants ; le circuit peut être bouclé avant la fin de la séquence : « *Interruption des phrases. En général toute phrase écrite, interrompue, est* complète. *Le sens est accompli, on peut s'amuser à couper des phrases à des points quelconques* [...]. » (*Self.*, 107).

Il y a plusieurs définitions de la phrase élémentaire, l'une dans « Self-Book » (109), deux autres dans l'essai sur Mallarmé, dont celle-ci : « *On pourrait désigner par le nom de* phrase élémentaire *toute portion de la phrase ordinaire des livres, telle qu'une fois lue, tous les mots qui la composaient soient* rentrés *dans le domaine purement mental, soient en quelque sorte finis en tant qu'éléments distincts. Ces mots ont agi ; ils sont assimilés et un ordre particulier est imposé à leurs significations* » (*Mal.*, 123). Valéry exprime la même idée dans un langage plus abstrait où a représente un mot et a_1 a_2... a_p, une séquence de mots : « *soit* a_1 a_2... a_p. *En* a_m *la suite antérieure* a_1... a_m *est coupée. Les* a *se soudent de 1 à m et donnent un composé. Les* a *s'annulent et ne laissent que le composé* φ (m) » (*Tab.*, 245). On notera que le composé φ (m), c'est-à-dire le sens de la phrase ou plus exactement l'effet intellectuel d'une séquence de mots n'apparaît qu'une fois les mots « annulés ». Il s'agit alors de trouver la loi qui définit l'accumulation des « *phénomènes* φ *des mots de la phrase* » propre à produire une « décharge », soit le bouclage du circuit. Ce que cherche Valéry, c'est à savoir au prix de quelle syntaxe minimale la communication peut être établie pour produire la compréhension. Il ne s'agit évidemment pas de recommander la formulation de phrases faciles à entendre, puisque, on l'a vu, à l'idée de syntaxe est attachée l'idée d'un maximum de travail à fournir. Cette recherche ne paraît pas relever de la simple observation psycho-linguistique. Au-delà de la psychologie du lecteur, il y a le projet ambitieux de trouver la « *loi de toutes les syntaxes* » (*Sém.*, 144). Dans « Tabulae... » sous la rubrique « phrase élémentaire », Valéry écrit : « *Il y a évidemment une loi à inventer — vraie pour toutes les phrases élémentaires, id est suffisantes pour la compréhension. Cette loi doit [...] exister entre la somme des phénomènes ψ des mots de la phrase — et le composé qu'ils donnent.* » (*Tab.*, 244). Cette loi serait de la forme $I + R = K^4$, compte tenu de la substitution à R de R' (ou d'une somme de r') : « *La Sémantique nous rappelle que les mots ont des significations ; ils constituent un groupe de deux membres, l'un physique, l'autre mental. L'étude du premier a été conduite très loin ; l'étude du second est fort peu avancée ; l'étude du groupe total n'existe pas, et ce serait l'importante* » (*Sém.*, 1450-1).

S'il fallait mesurer l'intérêt de la réflexion de Valéry sur le langage à l'aune d'une linguistique, il ne serait pas mince. Comme son point de vue est plutôt celui d'un physicien que d'un logicien ou d'un grammairien, sa conception de la référence est exempte des défauts de la conception habituelle qui hésite entre l'aporie — l'inscrutabilité de la référence à la Quine — et la solution naïve de la représentation, injustement imputée à Cratyle ou au Président de Brosses. Sa conception du rapport entre la sémantique et la syntaxe comme rapport entre une énergie libre et une énergie liée est susceptible de renouveler les modalités d'analyse du discours et de régler avec efficacité l'emploi du langage. Enfin il s'attache bien plus à savoir comment il est possible de communiquer le vif d'une pensée — à la limite l'invention même, que de savoir comment le langage véhicule une pensée commune. Le langage s'appuie à — et à certains égards constitue — la référence commune. Il y a là la condition de la communication, non sa fin, qui est l'inouï. C'est d'ailleurs pourquoi l'intérêt de cette réflexion ne se trouve pas dans une contribution à la linguistique mais dans la façon dont une intelligence singulière a su régler son propre rapport au langage ; s'est efforcée de répondre à la question : qu'exiger de soi lorsqu'on pense verbalement — quelles ressources peut-on tirer du langage tel qu'il est ?

1. Avec les autres idéologues, Destutt de Tracy se préoccupa beaucoup du langage et de la grammaire.

2. Michel BRÉAL, *Essai de Sémantique* (Hachette, 7ᵉ éd., 1924), pp. 9-25. Voir le compte rendu de Valéry (*Œ*, II, 1452).

3. MALLARMÉ, *Œuvres complètes* [« Bibl. de la Pléiade », 1951], p. 398.

4. I[mage] + R[éalité] = K (constante), est la formule canonique qui, à partir du « Self-Book », définit le fonctionnement sensoriel et mental par une loi calquée sur celle de la conservation de l'énergie (U + V = K, formule présente dans le « Journal de bord »).

3

MÉTAPHORE ET REPRÉSENTATION
une « méthode imaginative »
par Huguette LAURENTI

S<small>I</small> je me risque à parler « métaphore », ce ne sera pas en linguiste, mais en littéraire que je suis. Ce qu'après tout fait Valéry.

Non que je tienne à préserver un certain flou, qui est parfois dans son discours, souvent elliptique et jouant sur les différents niveaux d'acception du mot ; depuis son sens originel qui évoque déplacement, transport d'un signifiant à un autre, jusqu'à, précisément, une notion toute apparentée à celle de substitution, si chère au poète Valéry.

Car la métaphore est affaire de poète. Et c'est ce que, un peu paradoxalement — mais le paradoxe est, je crois, inhérent à toute démarche valéryenne — je voudrais montrer ici.

Dès le début de la réflexion valéryenne, la métaphore apparaît comme une des figures obligées dans l'expression de la relation entre le réel et l'imaginaire. Problème fondamental, on le sait, — on l'a déjà fort bien montré[1]. Car le contempteur du langage est bien forcé de passer par le langage, et, étant donné le terrain d'exploration qu'il a choisi, d'affronter des problèmes d'*expression*, certains peut-être insolubles, — et dans ce dernier cas de chercher le moyen de les contourner. Les Cahiers ne cesseront de dire la corrélation permanente entre *ce qui veut se dire* (chose inédite) et *comment le dire* (exigence de nouveaux moyens d'expression). La question du *langage* s'avère étroitement liée à celle de la *pensée* : Valéry sait déjà, au départ, que « la philosophie est affaire de forme », même s'il ne l'a pas encore dit de façon aussi percutante. Témoin ce sentiment aigu qu'il note parfois de se sentir approcher au plus près la solution d'un problème et de rester néanmoins désarmé devant l'impossibilité de la formuler, liée à celle même de bien la concevoir.

Aussi travaille-t-il conjointement non seulement sur les deux tableaux : celui où s'inscrit la recherche sur le fonctionnement de l'esprit et celui d'une réflexion sur le langage, mais en outre sur un troisième plan, qui est celui de la réflexion sur cette double recherche elle-même, que cet effet de miroir rend plus complexe, plus « profonde », plus passionnante aussi, — et plus difficile encore à exprimer. Tout cela se lit, en clair ou en filigrane, dans les premiers Cahiers, ce « journal » d'une navigation solitaire où les « trouvailles » brillent et s'éteignent vite parmi la reprise des questions, des données sans cesse posées et re-posées, des interruptions et des brefs éclairs de joie inventive. Le but, agaçant et excitant, formant la difficulté centrale : saisir le mécanisme de l'abstraction. Or l'abstraction, sorte de non-représentation idéale, renvoie nécessairement à une forme imaginaire de représentation, qui à son tour ne peut se concevoir et s'exprimer qu'en relation avec une vision du réel.

Un principe de « probabilité » semble régir et limiter le pouvoir imaginatif : c'est ce que Valéry appelle « *la probabilité des imaginations* » (*Log.*, 125). En d'autres termes, « *l'image imaginaire* » est en nécessaire « *homogénéité* » avec « *l'image du réel* », et « *les images les plus bizarres tendent à ne l'être qu'en conservant la probabilité du détail* ». Si Valéry prend ici l'exemple de l'Enfer, qu'« *on imagine* [dit-il] *sans rien changer aux flammes* », c'est sans doute qu'il a lu les *Exercices spirituels* de Loyola, mais c'est aussi probablement qu'il touche là, peut-être sans bien s'en rendre compte encore, un thème majeur à la fois de sa réflexion et de son imaginaire poétique, pour lequel il cherchera, précisément, de nouvelles métaphores[2].

Pour l'expression d'un phénomène qui n'appartient pas au domaine du concret, du visible et du mesurable, et qui échappe de ce fait à une formulation directe et nette, une seule possibilité : jouer sur l'analogie. La métaphore, plusieurs fois nommée, en sera une figure commode, bientôt prise comme élément dans le fonctionnement du système d'analyse lui-même, tantôt comme un simple moyen d'expression.

Elle a place dans cette « méthode imaginative » qui se forge, dans une exaltation dont les phases d'« illumination » quasi rimbaldienne alternent avec celles de « déprime ». J'insiste à dessein sur ce fort courant d'« invention » qui sourd tout au long des premiers Cahiers, tantôt ouvertement en des notations qui fixent les « états » mêmes du chercheur, — formules brèves, aphorismes, embryons de poèmes, où brille l'expression métaphorique pour atteindre au point le plus « juste » de l'auto-analyse — tantôt encore sous la rigueur volontaire du dressage : dressage de la pensée par le raisonnement le plus sec, dressage et accommodation du système de réflexion adopté par des séries d'exercices exemplaires dont l'esprit teste l'efficacité. Ici encore, de l'aveu même de Valéry, règne la métaphore sous le but scientifique hautement proclamé, — et c'est l'aspect le plus étonnant et le plus riche de son fonctionnement.

*
* *

Au début, donc, le problème capital du *modèle*. L'inventeur (au sens strict du terme : celui qui trouve) est d'abord chercheur et comme tel obligé de se fabriquer ses outils. Or, l'invention que vise le jeune Valéry est aussi problématique que la quadrature du cercle. Elle nécessite l'application, à un domaine qui échappe aux limites accessibles de l'exploration scientifique, d'un système (à inventer) d'analyse rationnelle. Comme il va d'emblée au plus difficile — qui est évidemment le plus important — c'est-à-dire au plus abstrait, il doit donc trouver dans l'appareil des sciences de son époque, les moyens d'imaginer ces mécanismes abstraits, ces « opérations » de la pensée (et voilà une première expression métaphorique), et, sur le papier, de les représenter. Il pose le problème dans le Cahier « Tabulae... » :

Imiter / / se représenter (correspondances, opérations, matière, mise en série).
A. Mais comment imiter telle chose (force, relation algébrique — les opérations elles-mêmes — la chaleur solaire — etc.)
B. quid de l'imitation imaginaire ou invention.   (*Tab.*, 357)

La dynamique de l'invention appelle, on le voit, sur ce terrain nouveau, un véritable processus de reconstitution mentale des phénomènes mentaux, qui fera nécessairement appel à l'imaginaire. D'où le poids de cet imaginaire (de l'examen des structures imaginatives, mais aussi d'un mouvement dynamique de l'imagination) dans cette entreprise d'analyse des plus rationnelles, — qui débouchera d'ailleurs sur plusieurs projets, dont celui d'un « conte », « Agathe » — où Valéry, quoiqu'il s'en défende[3], cherche bien à utiliser les structures de l'expression « *littéraire* » et par là à créer « *un genre nouveau* » — et qui plus tard trouvera son expression quasi parfaite, demeurée pour lui modèle en tout cas, dans un poème, *La Jeune Parque*.

Rien d'étonnant si Valéry s'adresse d'abord au modèle le plus abstrait : la mathématique. Réduire en formules algébriques — la représentation la plus abstraite et la plus pure — ces opérations qui elles-mêmes relèvent de l'abstrait a de quoi séduire : une sorte d'adéquation idéale s'instaure entre l'objet à représenter et sa représentation. De plus, le travail du mathématicien ressemble étrangement à celui du « penseur » : « *De même que le mathématicien part des nombres discrets, les étend, touche au continu, le pénètre et revient éclairer les nombres — de même le penseur part des mots du langage, descend dans la pensée même et revient éclairer le langage par la psychologie.* » (*Tab.*, 383). Quelle belle métaphore filée ! Pourtant, cet objet à représenter (l'esprit, la pensée) s'avère constamment d'une abstraction bien plus insaisissable, bien plus « floue » que la méthode de représentation. Le chercheur sait bien qu'il court sans cesse le risque de mettre ses pas dans ceux des « penseurs » qui ont déjà tenté, parce que c'est leur spécialité, de figurer l'abstraction par le langage, — je veux dire les philosophes. Concevoir entièrement dans l'abstrait relève d'une gymnastique impossible pour qui veut échapper aux purs mirages du langage. L'esprit y trouve ses limites dans l'exercice même de son pouvoir. L'« Arithmetica universalis », qui appartient au domaine d'une « méthode imaginative », sera, dans ses formulations les plus rationnelles et les plus résolument « scientifiques », une magnifique métaphore arborescente, tournant au mythe, — au même titre, par exemple, que l'hypothèse du « corps glorieux ». Que les emprunts à l'imagination mathématique prennent figure métaphorique simultanément dans les analyses très méthodiques des Cahiers et dans l'élaboration d'œuvres de structure quasi poétique, est assez significatif.

Faut-il donc accepter, exploiter même ce *brouillage* des choses les plus pures par l'effet des limites imposées par le corps et l'esprit lui-même en travail ? Que de formulations laissées en suspens, biffées, reprises et reformulées ! On doit évidemment considérer comme un événement capital l'orientation de Valéry vers les domaines les plus actifs de la science moderne. Analogies particulièrement satisfaisantes, découvertes avec jubilation à l'époque des premiers Cahiers : Faraday, Maxwell, ou encore Laplace ! (Que dire de Carnot ?) Voilà des modèles où l'abstraction des lois est fondée sur des phénomènes (domaine propre de la physique), — mais justement à un moment où le phénomène lui-même dévie en quelque sorte vers l'abstraction. Imperceptible aux sens, son existence n'est concevable que par l'esprit, son fonctionnement n'est exprimable que par un système analogique, par l'invention d'un langage scientifique nouveau, « métaphorique ». Plus extraordinaire encore, la science moderne a franchi, Valéry le sent bien, le pas des simples « réalités », visibles et directement mesurables, pour être capable de lancer des hypothèses ayant force de loi avant l'expérience même. Quel bel exemple ! L'enthousiasme que Valéry communique à Gide dans une lettre bien connue[4] au sortir de la lecture du « *passionnant* Électromagnétisme *du dernier grand théoricien (mort) Maxwell* » (*Corr. GV*, 191) est celui d'un poète, dans son élan passionnel. « *Je dis* passionnant » précise-t-il. « *Un livre tout fait d'une métaphore originelle, initiale, puis uniquement les formules et les diagrammes — un ornement extraordinaire.* » Étrange lecture d'un ouvrage de physique, d'abord dans ses qualités formelles éminemment valéryennes : la « métaphore » épanouie en « formules et diagrammes » y relève de la science de « l'ornement » — toutes préoccupations chères au Valéry qui construit alors son système de pensée.

L'aveu est plus direct encore concernant Laplace. C'est toujours Gide qui reçoit la confidence (il sait bien, lui, que le « littérateur » n'est pas mort !) :

Et si je te disais que j'admire — en littérateur — des pages des géomètres, que nul ni Rimbaud, ni... la réalité ne m'a donné la *vue*, la déglutition de la mer — comme d'ouvrir un Laplace au hasard, l'autre jour, à la page des flux et des marées. *Extemplo*, le glouglou et le déhanchement m'en vint, le ton d'acier, le gonflement et les fuites précipitées à l'Ouest. Le mot : syzygie ! l'odeur de ce machin qui bouge et luit entre azimuths [*sic*], coordonnées, parallaxes, etc., la hauteur du soleil, — tout. (*Corr. GV*, 186)

Valéry ferait-il là quelque transfert de sa vocation marine manquée ? Il instaure en tout cas une bien exaltante complicité entre le « géomètre » et le Rimbaud du « *Bateau ivre* »[5].

Et voici maintenant pour Poincaré, — qui nous ramène à une vue des mathématiques où Valéry saisit une bien intéressante analogie avec sa propre recherche. Il faut sans doute aller plus loin et y voir encore un effet de miroir, car Valéry aborde ce problème au moment où il évoque le désir qu'il a de s'essayer dans le genre du portrait. Les essais de cette sorte remontent, en effet, aux premiers Cahiers, et le choix des personnages n'y est pas innocent. Valéry cite ici Degas et Poincaré, — et précise sa relation « difficile », et tout compte fait imaginaire, avec ce dernier :

Poincaré est difficile à faire sans le connaître. Il m'intéresse beaucoup car il ne fait guère plus que des articles de psychologie en mathématicien. C'est de mon goût tout à fait. J'ai toujours eu ça en tête depuis mon nouveau Testament. (L'Évangile nous y mène, dit Euclide !) Seulement, *Lui*, fait cela en grand bonhomme qu'il est, avec le génie logique le plus séduisant, et il traite des points particuliers. Moi, pauvre infirme et ignare, j'y ai au contraire trouvé le b-a ba mathématique et voudrais m'attacher à la réalité de la pensée. J'ai souvent pensé que le connaître me serait précieux, qu'une conversation mensuelle avec lui me ferait faire de grands progrès — et peut-être ne lui serait pas tout à fait inutile — mais serait-elle libre ? Et puis nous n'avons rien de commun. Et je n'oserais jamais lui faire d'objections. Alors ? (janv. 96 ; *Corr. GV*, 256)

La situation est clairement posée : Poincaré traite en mathématicien de la « psychologie » (qui n'est pas son domaine) ; Valéry, de son côté se considère comme un spécialiste des phénomènes mentaux — peut-être même pourrait-il en remontrer là-dessus au savant qu'il admire, bel exemple d'assurance ! — et il utilise, pour en traiter, du « *b-a ba* mathématique » (qui n'est pas son domaine). D'où le rêve d'un échange direct, qui par sa faute ne se réalisera pas. Pour l'instant, retenons l'une des raisons de la timidité du « penseur » à l'égard du grand mathématicien : il a parfaitement conscience de lui emprunter non son savoir, mais la forme de celui-ci, comme un moule métaphorique par lequel il pourra exprimer son propre savoir à lui.

Et sans doute ne faut-il pas abstraire la nouvelle entreprise de cet univers des symboles où a baigné l'adolescence valéryenne dans ses premiers exploits poétiques. Le symbolisme n'était pas un vain mot pour qui déjà voyait le monde comme un faisceau d'analogies dont les mythes fondateurs d'Orphée et de Narcisse tentaient d'évoquer métaphoriquement les architectures secrètes. Ce « don de subtile analyse » que Mallarmé soulignait dans sa première réponse mérite d'être remarqué. Toute révolution érige ses nouvelles lois sur les décombres de ce qu'elle a anéanti, et celle, toute intérieure, de ce jeune homme épris de pouvoir intellectuel se nourrit forcément des acquis d'une réflexion précoce et d'une expérience plus ou moins interrompue. D'exemples aussi. Et si l'abandon provisoire de l'exercice poétique fut, comme il l'a dit, dû en partie à l'inégalable prestige de Mallarmé, peut-être l'exemple du « Maître » a-t-il contribué à jeter dans cette voie nouvelle, si opposée à ce qu'il paraissait être, le jeune poète démuni. Mais tandis que chez Mallarmé demeurait la hantise du Livre — symbole d'une réalité qui eût pu être tangible — son émule se lançait dans une entreprise d'exploration solitaire au

46

pays des choses abstraites et des métaphores pures. Loin de toute ambition métaphysique, un jeune licencié en droit rêve de découvrir des lois universelles qui abstraitement définiraient tout l'homme, en se plaçant hors de toute concurrence, au confluent de toute connaissance. Ambition terrible, exaltante autant que raisonnée, vécue comme une sorte d'illumination. Est-ce contre Mallarmé qu'il se tourne vers Rimbaud, cet aventurier de l'imaginaire ? Une lettre à Gide (encore !), à laquelle je faisais tout à l'heure allusion, définit bien, en 1893, l'essence du projet. Valéry y évoque sa solitude et « *rêve* » d'impossibles « *communications* », bien vite muées en « *communions* » (*Corr. GV*, 183). « *Rêver ce rêve* [dit-il] *et, durant, rêver autre chose, illumine* ». Et il précise :

Si, par exemple, j'avais tenu R[*imbaud*] entre mes mains, à la portée de toutes mes mécaniques spirituelles, machines de délicatesse sauvage et de force énorme pour peser, décomposer et construire — mouvoir, je me serais moqué des conquérants et des aéronautes, des savants et des architectes...   (*Corr. GV*, 183)

L'évocation du « *Bateau ivre* » revient à plusieurs reprises dans d'autres lettres. Mais ici c'est un autre voyage, de conquête et de puissance, qui est métaphoriquement évoqué à propos de Rimbaud, plus près des conquistadors, des fous volants et de Vinci.

*
* *

Reste, l'euphorie retombée, la conscience du double problème : dire l'abstrait, figurer le fonctionnement de l'acte mental en même temps qu'on le saisit. Le langage se fait métaphorique même pour parler métaphore. Par exemple :

Saisir violemment la chose par l'esprit, la tenir le plus, la bouger. Biceps de l'esprit, faire des poids.

Métaphores,
c'est-à-dire pouvoir la comparer à...
La méthode — ici.   (*Tab.*, 168)

La méthode, en effet, est ici.

La « chose » à saisir peut être l'acte mental par lequel opère le modèle lui-même, pris comme objet d'observation. Un problème de mathématique, une formule de physique. Les premiers Cahiers fourmillent de ces notations rapides, où s'inscrit une partie seulement de l'analogie métaphorique, l'autre étant connue du scripteur. Ce peut être même un simple exercice, une sorte de test, la recherche, peut-être, de la formule utilisable. Le plus souvent il s'agit, comme l'écrit Jean Mayer, d'« *un certain* habillage *algébrique des concepts ou questions, qui se réduit souvent à une métaphore, mais traduit malgré tout une aspiration essentielle à la rigueur* »[5]. Il en va de même pour le langage emprunté à la physique, plus riche encore puisque déjà lui-même métaphorique, pour le plus grand plaisir de Valéry. Ainsi, dès les premières pages du « Journal de bord », apparaissent figures géométriques et calculs algébriques, ou encore, par exemple, la formule de l'attraction universelle illustrée par un croquis.

En fait, on saisit très vite que cela va plus loin qu'un « habillage », qu'il s'agit de tâter d'une terminologie adéquate, mais aussi d'entrer en profondeur dans le principe même de recherche — et pas seulement d'énoncé — découvert. Ce qui « passionne » Valéry dans les théories d'un Laplace ou d'un Maxwell, c'est moins le système lui-même que les possibilités qu'il peut en tirer comme analogie de celui qu'il construit, c'est la manière dont procède la recherche elle-même, efficacement inventive, par la mise en œuvre d'un imaginaire intellectuel. « *J'ai relié* [note-t-il] *le processus poétique et l'invention à certains principes généraux bien connus et à diverses méthodes mathématiques ou physiques.* » (*Tab.*, 283). Et ailleurs :

« *Je suis saoul, ivre de physique, et il me semble que dans la psychologie on trouverait toute une sagacité comme cela à introduire.* » (306).

En ce sens, cette nouvelle utilisation du modèle scientifique fait fonctionner le système métaphorique au second degré. Laplace, Maxwell, et même déjà Newton ou Condillac, ont inventé leur système de représentation pour définir des lois du non visible, du non représentable ; et Valéry pense trouver chez eux, posé sinon résolu, le problème de la triple relation réel/abstrait/imaginaire, par le biais de l'expression analogique. Il va donc procéder à une autre substitution, celle des éléments de son propre champ de recherche qui, cette fois, se situe complètement dans l'abstrait. Car, comme le remarquait fort justement Régine Pietra, dans ces premiers Cahiers, « *le monde physique n'existe que pris en charge par le monde mental* »[7]. Valéry d'ailleurs, précise bien, à plusieurs reprises : l'analyse porte sur le fonctionnement de l'esprit, non du cerveau.

Ainsi se succèdent les « théorèmes », les « lemmes », les « problèmes », dont certains témoignent d'un développement systématique de cette méthode d'appropriation. De même les notions de « champ », de « force », de « travail », par exemple, vont s'installer dans ces pages où se compose un univers mental à l'aide d'étranges figures : la « Sphère de connaissance », les « Nombres plus Subtils », le « spectre de la connaissance », etc., qui cherchent leur meilleure définition. Ainsi : « *Entre le réel et l'imaginaire (en tant qu'états) il existe une série de dégradations. C'est le spectre de la connaissance.* » (*Tab.*, 187). Ou encore des formules à vif, comme : « *L'esprit n'est que travail. Il n'existe qu'en mouvement.* » (*Log.*, 131). Ou encore, à partir, d'une formule, le départ d'un raisonnement : « *On peut s'amuser à regarder "Nature" ou "Univers" comme un transformateur. Soient N portions hétéro-*

gènes (a, b,... n) [...] » (*Tab.*, 275). Ailleurs : « *Sur les* relations *verbales ou réelles essayer d'introduire les considérations de lignes de force et de lignes équipotentielles.* » (*Log.*, 133). Suit un croquis des lignes équipotentielles d'un champ magnétique engendré par deux masses.

On sent ici Valéry partagé entre le goût — avec espoir d'y trouver une efficacité — pour les formulations nettes, raccourci synthétique d'une loi sèchement énoncé sur le modèle de l'équation mathématique ou de la formule de physique (le fameux $I + R = K$ en est un exemple bien connu), et un discours plus élaboré où travaille son imagination. Ainsi peut-on lire tel raisonnement quelque peu délirant comme celui-ci :

> Je suppose qu'un corps α se meuve de A en B sur une trajectoire quelconque. Je suppose également qu'un point quelconque d'un être *vivant* décrive sa même ligne A' B' mais par le fait de sa croissance. Il y a dans ce dernier cas un engendrement cellulaire du mouvement. La force vive d'α sera une φ [*fonction*] de masse et vitesse. Si un obstacle l'arrête il y aura un remplacement par de la chaleur. L'énergie dépensée par le déplacement de l'ensemble devra se retrouver dans les mouvements vibratoires des molécules à partir du choc. Si le corps vivant β est soumis à un arrêt analogue, comment déterminer son énergie ?
>
> (*Log.*, 134)

À cela répondent des notations parallèles qui fonctionnent comme des confidences à soi-même, tout en dessinant les contours d'un Moi, lieu de la vie des phénomènes mentaux et objet d'observation. Ici, alors, l'expression métaphorique pullule, et Valéry, malgré lui ou consciemment, s'y fait à nouveau poète.

De toute évidence, les acquis de l'expérience poétique demeurent, comme demeure le plaisir de créer. Il faut, je crois, se méfier de l'envie que nous donnent cette écriture fragmentaire, ces sautes de sujet, cette apparente dispersion dans la disposition même sur la page, cette plume tantôt hâtive et tantôt appliquée, de séparer les fragments ou de n'y voir que le désordre d'une écriture immédiate. Sous cette multiplicité et cette (fausse) dispersion — nous en avons encore mieux conscience si nous songeons que plusieurs « cahiers » ont été remplis simultanément — à laquelle Valéry lui-même avait projeté de donner un ordre, court un mouvement d'unité fondamentale qui est celle du projet entrepris. Les différentes formes d'écriture, les différentes approches métaphoriques dont nous parlons, ne sont que des moyens variés d'atteindre ce but.

L'expression poétique, lieu s'il en est de la métaphore, de la substitution qui suggère et mène à la limite d'un sens qui ne peut se dire, est, à son état naissant, d'un grand intérêt. Je pense que, plus que des confidences qu'il se fait à lui-même (et qui peuvent correspondre à telles lettres qu'il est en train d'écrire ou qu'il vient d'écrire), ces fragments étranges, parfois lumineux, ont leur raison d'être ici. Valéry le sait bien, qui note : « *Lorsqu'on étudie un sujet — regarder de près les métaphores dont les auteurs sont* obligés *de se servir. Là est est la clef du sujet.* » (*Tab.*, 345). Il note encore, quelques pages plus loin :

Dans tous les cas une métaphore d'ordre sensible est à la pensée ce qu'une illustration est au texte — — — Elle *sort* du texte — — (ceci est important) — Elle contient dans un complexe, à un moment, une portion indescriptible du texte —

La langue, discontinue, contient le mot *continu*.　　　(*Tab.*, 357)

Il joint donc lui-même l'expérience à la théorie, l'exemple au raisonnement. Ainsi, dans le « Journal de bord » :

Une métaphore, — par exemple — fait plaisir par complexité et non différemment.

Je dis : cet arbre monte comme une fumée.

L'image de l'arbre est ordinaire.

Celle de la fumée — id —

Leur rapprochement amuse et fait agir. On entrevoit vaguement en lisant la ligne proposée les combinaisons imaginaires pouvant sortir des termes. (*Jour.*, 66)

Valéry insiste ici sur le rôle actif de la métaphore, riche de « combinaisons » potentielles par un simple rapprochement de termes banals en eux-mêmes (on serait assez proche de l'analyse de l'image par Reverdy).

Autre exemple, où l'analyse suit la formulation théorique tout en paraissant s'en isoler sur la page :

La métaphore est en un certain sens une mesure.

$$m = Um$$
$$U = 1$$

Une mesure est le rapport d'une quantité à l'unité.

Le Soleil s'avance avec ses planètes, comme celui qui porte de la viande, entouré de mouches — comme un blessé. (*Self.*, 120-1)

Notons dans ces deux exemples la présence instinctive de deux des éléments fondamentaux de l'imaginaire valéryen : l'arbre, le Soleil (avec majuscule).

Ces réflexions, toujours brèves mais tenaces, sur la métaphore, qui jalonnent les premiers Cahiers, s'inscrivent à la fois dans une analyse du langage et dans la recherche par l'inventeur de ses propres moyens d'expression. Tels fragments de « poésie brute », comme il dira plus tard, peuvent s'inscrire au tableau de ces « exercices spirituels » dont il prenait l'idée chez Loyola. Encore une belle expression métaphorique, si l'on songe que ce jeune homme assez frêle avait quelque habitude des exercices de gymnastique (il y fait allusion dans sa correspondance), sur lesquels prenaient modèle ses « exercices » de l'esprit. Maîtrise des muscles, maîtrise de l'intellect vont de pair avec le goût de la loi et celui de l'art militaire.

*
* *

De ces exercices poétiques, prenons quelques exemples, un peu au hasard. Une page, très riche, du Cahier « Tabulae... » contient une moisson de notations métaphoriques brèves, sans liens entre elles, comme de rapides séquences cinématographiques :

Le rapide passe comme un album de photos.

Un couvent d'enfants noires, deux à deux, avec les sœurs, semble une barrière, avec des pommiers blancs.

Fumée livrant (lâchant) une à une
ses araignées heureuses
légères dans les toiles de l'air. (*Tab.*, 180)

et celle-ci, bien plus subtile, très vincienne, où l'abstraction joue harmonieusement avec le concret :

Je souriais à ma pensée.
Elle me sourit.
Je me mis à l'unisson. Commencement de ce qu'on voudra.
(*Tab.*, 180)

Ailleurs Valéry note, à côté d'une réflexion sur l'œil et la vision, cette formule : « *Faire les expériences imaginatives* » (*C*, I, 50). Une de ces « expériences » inscrit au bas du feuillet son réseau très subtil d'analogies dans une expression richement, *méthodiquement* métaphorique :

Effet de neige tombante,
douce force, circulation,
profondeur, unification,
transparence et modification de la vue. (*Jour.*, 51)

Ailleurs encore, la réflexion consciente exploite la formulation métaphorique, première venue :

L'arbre, beau, grand, me semble mon propre bras dressé.
(*Tab.*, 334)

Ce qui est, plus bas (avec un renvoi) amplifié et généralisé en :

L'homme est une chose qui voit un arbre, y lit son propre bras dressé, enfante un geste, une force, une colère, une victoire et de cet arbre fait un drame sur le moment. (*Tab.*, 334)

À la formule « inspirée » (entre ces deux notes s'en placent d'autres relatives à l'inspiration, dont celle-ci, qui est aussi une belle métaphore : « *le souffle qui passe ou la connaissance changée* ») succède l'explication rationnelle, prémisse de l'exploitation consciente (« *Être-inspiré — (comme on dit)* », note encore Valéry, « *cela conduit vite à chercher à imiter "l'inspiration"* »).

Il peut même aller jusqu'à la parodie de son propre exercice ; comme dans ce développement systématique d'un système d'expression métaphorique sur le mot et la vue de l'iris, (la fleur) — issu sans doute d'une vision réelle, et où le faisceau des sensations et des analogies est amplifié jusqu'à l'absurde :

Iris — blanc — penché — gras de gouttes de pluie — gonflé — lourd — de couleur délicate — avec le cortège vert et pur et le sol de terre noire — son étoffe trempée — son attitude sérieuse, vraie, pure, venue de la plus haute noblesse terrestre, — calme, fraîcheur évidente, ordre et dessin, combinaison arrêtée, non jalouse — comme drapée, pouvant subir diverses influences sans honte, — bijou mol et plein d'eau douce — (*Tab.*, 334)

À droite de cette série de gammes placées sous le titre (écrit en caractères cyrilliques) de « Pentecôte », hâtivement griffonné et entouré d'un trait : « *Tu es un imbécile qui fait de l'effet* ».

Autour de ces fragments inventifs, qui fonctionnent aussi un peu comme défoulement, s'inscrivent des réflexions qui ne sont pas sans rapports avec eux : « *Ce qui fait le prix de — c'est qu'on ne le retrouve pas à loisir* » (*Tab.*, 180), ou encore, en haut de la même page, comme une sorte d'avertissement : « *Ici je ne tiens à charmer personne.* » C'est là toute la différence d'*intention* entre la création poétique ayant pour objet le poème (cette notion de « charme », déjà...) et son imitation comme acte analysable de l'esprit, — même si l'on en connaît de façon indubitable le *prix* et le *plaisir* (notés ailleurs).

Une autre page du Cahier « Tabulae... » fait succéder à deux définitions concernant « le volontaire » et la « conscience consciente » un petit poème quasi rimbaldien, aussitôt examiné par un exprit parfaitement conscient qui le rend à la littérature : « *la littérature fondée sur l'arbitraire, un double arbitraire* » (*Tab.*, 172). Voici le poème :

> Verse le
> Fleuve léger
> porté sur les arbres en fleurs
> Il se déclare
> Pour l'horizon clair
> Chair qui attend...
> Verse encore
> Le flux et le temps
> et la fuite des arbres légers,
> Tous deux se dénouent... !
>
> (*Tab.*, 172)

Le tout est suivi d'une note tout à fait suggestive quant à la « méthode » d'invention auto-analytique et à l'état d'esprit de Valéry à cette époque :

Parfois, je m'écrase moi-même : je voudrais jouir de toutes mes pensées à la fois, dans le même instant. C'est absurde. Cependant beaucoup de mes vues nouvelles furent dues à un petit fragment d'un état tel. La pensée passe son temps à unir *naturellement* maintes choses diverses. Si l'on tâche artificiellement à faire de même, si l'on demande ce qui s'est produit ou bien si l'on cherche le lieu... — on trouve que *Soi* et par conséquent on découvre bien des choses.   (*Tab.*, 173)

Étrange mélange que ce sentiment d'absurdité géniale, cette application à refaire *artificiellement* ce que la pensée fait naturellement, et ce besoin de jouissance absolue transcendée en moyen d'invention.

Cela explique d'ailleurs la variété du champ métaphorique, dont le chercheur voudrait exploiter tous les possibles en même temps, — et dont les notations peuvent voisiner sur une même page. « *Penser en algèbre, en Anglais, en politique, en marin, en poète — en ornemaniste, en tout cela — en quelconque — en animal, en arbre — en pianiste.* [§] *C'est* aussi *exister dans un certain espace à* q *dimensions.* » (*Tab.*, 330).

C'est ainsi que se développent de grandes métaphores continues qui s'épanouiront conjointement dans les cahiers et dans les œuvres publiées. À côté de la métaphore proprement scientifique, elles impliquent des domaines peut-être plus proches de celui qu'explore Valéry, puisqu'ils touchent au comportement humain ; ce que nous appelons maintenant les sciences humaines. Le politique, l'art militaire — tactique ou stratégie — « l'esthétique navale » (quelle belle formule !), sont des figures de l'univers des relations humaines, jouant sur la relation du réel et de l'abstrait. De même l'architecture urbaine — en relation avec les préoccupations « ornemanistes » héritées de l'adolescence — ou le théâtre, dont les tous premiers Cahiers définissent déjà très clairement la problématique. Ici, la métaphorisation s'amplifie et s'approfondit. À l'analyse de ces modèles, eux-mêmes développements exemplaires de la dynamique intellectuelle, Valéry applique souvent une terminologie scientifique de base. La forme la plus épanouie en est peut-être cette curieuse utilisation métaphorique, réalisée de façon différente dans « La Soirée avec M. Teste » et dans « Note et digression », de la description d'une salle de théâtre où tout s'exprime en phénomènes de « masse », de

« polarisation », de focalisation de la vision, — dans une sorte de sublimation abstraite du phénomène le plus concret et le plus physiologique qui soit[8].

Ce pouvoir de l'imaginaire, ressenti comme une bataille intérieure toujours à renouveler — lutte, dressage, conquête, tout en même temps —, un très beau fragment du Cahier « Tabulae » le formule dans une sorte de halètement de l'écriture :

> J'imagine, et il me semble que *ceci* serait bon — ceci qu'imaginé, je ploie à *mon* gré — à quel gré ? — en somme ? *Mon..* Cela se confond avec cette déviation justement. Mon, moi, mien — c'est ce perfectionnement — ce changement typique, ce recommencement en mieux, en mon mieux. Tantôt aisselles, bras purs, tantôt creux immense d'une bataille, où *j'écrase incessamment l'ADVERSAIRE,* où *je le RESSUSCITE pour l'écraser plus EXACTEMENT.*
>
> (*Tab.*, 307)

*
* *

Finalement, le projet de base lui-même, cette construction d'un « Système » (la majuscule est importante) qui ne trouvera pas son lieu, est régi par une vaste entreprise de représentation métaphorique, exaltante et décevante à la fois pour son créateur toujours tenté de se situer *à la limite*, et qui implique la structure même des Cahiers. Il faut bien en revenir à la métaphore qui englobe le tout, celle du « Journal de bord ». Les titres ont leur prix, et Valéry choisit soigneusement les siens. En ce sens, les Cahiers quittent l'anonymat d'un individu « quelconque » où voudrait se placer le chercheur, pour dire l'aventure d'un moderne argonaute. Ce n'est pas simple jeu s'il tourne dans tous les sens — mais en lui donnant toujours le même sens — cette expression chère du « Journal de bord », dans ses traductions anglaises (« Log-Book ») ou en langue marine plus sophistiquée (« Livre de

Loch »). Traductions ? pas tout à fait. Car le « Livre » était, dans sa première formulation française, dit « Journal ».

« Et moi aussi, j'ai mon journal ! » écrira un jour Valéry en se moquant assez férocement de son ami Gide. Pour l'heure, ce « journal » du navigateur solitaire — qui trouvera bien plus tard sa parodie littéraire, cruellement désabusée, dans les « Mémoires » de son Faust — est bien, en son sens le plus pur, le relevé de ce qui se passe chaque jour dans un esprit. À la fois témoin de la production instantanée des phénomènes psychiques et de leur analyse, et accumulation d'une mémoire par cet effet de récurrence systématique qui se généralisera très vite. Mais si « mémoires » il y a, c'est toujours à titre potentiel, pris au moment où l'événement est fixé, — tout le contraire du journal-souvenir (type : celui de Gide), où le passé redevient présent à la lecture. Cela, Valéry le garde pour sa correspondance, qui lui permet de retrouver et d'expliciter idées ou états.

Notons d'ailleurs que lorsque l'événement personnel pointe dans ces pages, ou bien c'est sous la forme a-temporelle de notations immédiates où le verbe est le plus souvent exclu, où la substitution d'une expression métaphorique généralise l'événement et le ramène dans le champ général d'observation, — ou bien il emprunte la forme du récit, du « conte » — et l'intérêt de Valéry pour ce genre n'est pas innocent — dont le « il », sujet des plus impersonnels, marque la substitution au vrai sujet de l'écriture d'un personnage purement métaphorique, né de l'écriture même.

Régine Pietra rappelait, il y a deux ans[1], que chez Valéry Cratyle n'est pas si loin d'Hermogène. Les Cahiers sont, je crois, la démonstration de cette foi (très ambiguë, très réticente) dans l'écriture de quelqu'un qui se refuse à n'être qu'un « littérateur ». Écriture, certes, comment s'en passer ? — mais toute tournée sur elle-même, issue d'elle-même, parlant sans cesse d'elle-même et par elle-même. « Livre », certes, mais de vie autonome et dévorante (« Self »), engrangeant ses trésors (« Docks »), forgeant ses instruments et règles de navigation (« Tabulae »), laissant les traces, dans l'espace métaphorique de ses pages, d'une route de la découverte, hasardeuse et monotone, avec ses moments intenses et ses bonaces, ses éternels recommencements, et le cap toujours maintenu vers un but qui échappe toujours. Les lettres à Gide de la même époque, pullulent, parlant de cette entreprise, de métaphores maritimes, au point que c'est comme un langage codé qui s'instaure entre les deux amis.

Sans doute Valéry n'écrivait-il alors que pour lui seul (il faut abstraire, évidemment, les fragments de brouillons d'articles ou œuvres en gestation inclus dans les cahiers de cette époque), sans doute cherchait-il une voie aussi éloignée que possible de la littérature, — et peut-être découvrait-il, sans trop s'en apercevoir encore, le passage vers un nouveau mode littéraire, sinon un « nouveau genre ». Mais tels quels, dans leur aridité et leurs énigmes pour le profane, les exercices d'une « méthode inventive » figurent une autre manière d'être poète ; et la plus moderne, tant par son but (concevoir l'inconcevable) que par les moyens d'expression cherchés : ce jeu systématique de substitution par l'esprit en travail et l'utilisation créative d'un imaginaire de l'abstrait.

Je voudrais terminer par la lecture d'un fragment qui dit le point de vue ambigu de ce constructeur de l'abstrait :

.. Des milliers de souvenirs d'avoir senti la solitude et souhaité avec rage la fin des mauvais temps de la pensée.

Peut-être ne laissera-t-il qu'un amas informe de fragments aperçus, de douleurs brisées contre le Monde, d'années vécues dans une minute, de constructions inachevées et glacées, immenses labeurs pris dans un coup d'œil et morts.

Mais toutes ces ruines ont une certaine rose. (*Jour.*, 3)

1. Au cours d'une journée d'étude sur les premiers *Cahiers*. Voir n. 6.

2. L'imagerie antique et celle de Dante se combineront pour le conduire, d'*Orphée* à *La Jeune Parque*, à une représentation purement métaphorique des « enfers intérieurs ». Mais l'image du feu n'en sera nullement absente, pas plus que de l'espace imaginaire infernal évoqué plus tard dans « "*Mon Faust*" ».

3. Voir en particulier la lettre à Gide du 24 juillet 1893 (*Corr. GV*, 183).

4. Lettre du 27 novembre 1891.

5. Son enthousiasme pour cet aspect de l'œuvre de Laplace était, à cette époque, si bien connu de ceux qui fréquentaient Valéry, qu'il fait l'objet d'un récit parodique — où ne manque pas le mot *syzygie* — dans un chapitre des *Gestes et opinions du Docteur Faustroll* que Jarry a dédié à Paul Valéry (chap. XXV : « De la marée terrestre et de l'évêque Marin Mensonger »). Voir Alfred JARRY, *Œuvres complètes*, I (Paris, Gallimard, « Bibl. de la Pléiade », 1972), p. 696.

6. « Valéry et les mathématiques d'après les *Cahiers* », pp. 69–96 in *Lectures des premiers Cahiers de Paul Valéry*, textes recueillis par Nicole CELEYRETTE-PIETRI (Paris, Didier-Érudition, 1983), p. 63.

7. « Sentir, imaginer, abstraire », pp. 97–130 in *ibid.* (p. 117).

8. Dans le « Livre de Loch » (ms 3) un texte rédigé en latin met l'accent sur le caractère éminemment métaphorique de la réception théâtrale. Aux « constructions » (*aedificia*) que forment sur « l'île de la scène », par leurs paroles et leurs actes, les personnages de l'espace théâtral, répond, dans l'imaginaire du spectateur, la construction de figures virtuelles (*simulacra*), comme une sorte de projection intérieure de la vision. Tout l'art du théâtre est, dit Valéry, dans l'équilibre entre ces constructions mentales et le concret de la scène. Un croquis accompagne ce texte. — Effectivement, Valéry définit là une loi fondamentale de la relation théâtrale. Mais cette analyse fonctionne aussi elle-même comme une représentation métaphorique de la relation du réel et de l'imaginaire par l'intermédiaire de la vision.

4

LES INTUITIONS DE PAUL VALÉRY DANS LE DOMAINE DE LA PSYCHOLINGUISTIQUE

par François RICHAUDEAU

Voici comment Georges Mounin dans le *Dictionnaire de la linguistique* édité par les P.U.F. définit la psycholinguistique :

Domaine pluridisciplinaire combinant la psychologie et la linguistique. Elle se préoccupe d'une part de l'apparition et du développement du langage, et d'autre part des processus psychologiques sous-tendant la production, la compréhension, la mémorisation et la reconnaissance du matériau linguistique...[1]

définition qui pourrait être rapprochée de cette affirmation dans l'ébauche de l'essai écrit en 1897 par Valéry à propos de Mallarmé, et où il écrivait : « *Le langage ne peut être étudié que par rapport à des phénomènes mentaux : ceux dont il provient et* [inachevé] » (*Mal.*, 121-2), thème qu'il reprendra de nombreuses fois dans ses Cahiers et autres textes.

J'en citerai deux extraits :

Il est merveilleux d'entendre parler, disserter de création, inspiration, etc., et que *personne* ne songe à rechercher la formation de [la] mélodie ou de [la] phrase la plus simple ; — au moins décrire les conditions de formation   (1930 ; *C*, XIV, 697/ *C2*, 1029)

[...] qu'une certaine structure du discours agisse sur l'organisme de l'esprit et s'y accorde et annexe, et que cette action soit désirable, c'est un fait indépendant de toutes thèses ; et qui doit l'emporter sur elles.[2]

Notre auteur eût donc été, de nos jours, très sensible et très attentif à tout ce qu'aurait pu lui apporter cette branche des sciences du langage : la psycholinguistique.

Eût-il adhéré de la même façon à la linguistique structurale, à cette école à prétention impérialiste il y a encore quelques années, et au structuralisme en général ? J'en suis moins sûr. Car l'essence de ce mouvement me paraît assez éloignée, parfois même incompatible avec la conception d'une science du langage de Valéry. Ainsi dans l'article « Le Structuralisme » de l'Encyclopédie Retz : *Le Langage*, sous la direction de Bernard Pottier, Lelia Picabia écrit à propos du structuralisme américain :

Bloomfield en conclut que la parole doit de même être expliquée par ses conditions externes d'apparition. Cette thèse appelée le *mécanisme*, s'oppose au *mentalisme*, qui affirme que la parole est un effet des pensées, intentions, croyances, du sujet parlant. Bloomfield propose de *décrire* les faits de parole, et afin que la description ne soit pas infléchie par des considérations mentalistes, il juge nécessaire d'éviter toute allusion au sens des paroles émises.

et Frédéric François dans l'Encyclopédie de la Pléiade : *Le Langage*, dirigée par André Martinet :

On a simplement voulu dire que la pensée se trouvait bien davantage dans un certain maniement des signes que dans la constitution du système de ces signes et qu'on ne pouvait par les nécessités de la pensée rendre compte ni de l'organisation générale du langage, ni de celle de telle langue. (*Op. cit.*, p. 15)

Ce qui me semble très éloigné de la pensée de notre auteur — lui qui écrivait par exemple :

Excellent de ne pas trouver le mot juste — cela y peut prouver qu'on envisage bien un fait mental, et non une ombre du dictionnaire.

(1900 ; C, II, 192/ CI, 385)

et je citerai plus loin plusieurs autres de ses textes confirmant cette thèse.

Or, celle-ci : la prééminence du mental sur le langage, est maintenant confirmée par les travaux modernes des neurologues, ces explorateurs de nos planètes mentales. J'en citerai deux :

Il existe dans le cerveau des systèmes [...] qui [...] vont permettre l'acquisition du langage, mais il existe aussi des systèmes de portée plus générale qui [...] permettent le développement des activités cognitives. Et ils sont indépendants [...]
À ce sujet les sourds-muets et les aveugles fournissent des renseignements d'importance.[3]

[...] le langage, avec son système arbitraire de signes et de symboles sert d'intermédiaire entre ce « langage de la pensée » (ce qu'il appelle une combinaison d'objets mentaux) et le monde extérieur.[4]

Abordons donc — rapidement — certains des rapports entre ce fonctionnement mental et le langage ; et plus précisément entre la mémoire et la phrase ; Valéry écrivant, toujours dans notre texte de base de 1897 :

On pourrait désigner par le nom de *phrase élémentaire* toute portion de la phrase ordinaire des livres, telle qu'une fois lue, tous les mots qui la composaient soient *rentrés* dans le domaine purement mental, soient en quelque sorte finis en tant qu'éléments distincts. Ces mots ont agi ; ils sont assimilés et un ordre particulier est imposé à leurs significations. (*Mal.*, 123)

Puis, plus tard, par exemple en 1927 :

Que de choses seraient transformées à nos yeux de l'esprit si la durée maxima de conservation de l'attention s'accroissait un peu !

(C, XII, 118/ C2, 268)

Les psychologues expérimentaux distinguent, de nos jours, dans le fonctionnement de notre mémoire, deux *niveaux de mémoire* (je n'ai pas dit deux organes de mémoire), la *mémoire à court terme* dite aussi *mémoire de travail* et la *mémoire à long terme* ; les mots lus — ou entendus — étant reçus et provisoirement stockés dans la première ; puis leur sens étant transféré dans la *mémoire à long terme.* Or, la capacité — dite *empan* — de la *mémoire à court terme* est très faible : de 7 à 28 mots suivant les textes et les sujets ; et cela pendant une durée très brève : de quelques secondes à 20 secondes. Au-delà de ces deux limites les mots de la séquence linguistique sont éliminés, perdus. C'est dire qu'assez fréquemment, le sujet récepteur doit — inconsciemment, bien entendu — fractionner des phrases assez longues en éléments, en groupes de mots moins longs au cours de son processus de lecture (ou d'écoute) ; afin de comprendre, de saisir le sens des enchaînements des mots. D'où l'existence d'une suite psycholinguistique, plus courte que la phrase lorsque celle-ci est assez longue : cette *phrase élémentaire* de Paul Valéry, que j'ai appelée dans mes écrits *sous-phrase.*

D'où l'importance de ces réflexions de notre auteur sur nos servitudes mémorielles et leurs conséquences quant à un certain découpage (inconscient) de la phrase traditionnelle. D'où aussi l'importance d'une *linguistique pratique, pragmatique*, qui étudierait les règles d'écriture permettant notamment d'utiliser au mieux la capacité de la mémoire de travail : cet *empan* qui varie je le rappelle de 7 à 28 mots. Ce qu'avait pressenti Valéry écrivant :

Il y aurait de grandes choses à tirer de l'analysis situs si cette analyse était plus maniable.
Par exemple la connexion psychologique — Les coupures introduites dans le cours de la pensée par les incidents relatifs — et la lutte

contre ces coupures. Par exemple la théorie de la mémoire.

(1920-21 ; C, VII, 704/CI, 803)

puis, dans *Tel quel* :

Entre deux mots il faut choisir le moindre.
(Mais que le philosophe entende aussi ce petit conseil.)

(Œ, II, 555)

Car on sait maintenant que les mots les plus courts qui sont généralement les plus fréquemment utilisés sont mieux mémorisés au niveau de cette *mémoire à court terme* que les mots plus longs. Ces derniers étant généralement des mots abstraits ; eux-même moins bien retenus que des mots concrets.

Mais sous quelle forme, dans le cadre de quelle structure ces mots et ces pensées — on pourrait dire comme Jean-Pierre Changeux ces *objets mentaux* (ou comme je les ai appelés : ces *entités mentales sémantiques*) sont-ils présents en notre esprit ? Toujours dans le texte de 1897, le jeune Valéry écrivait :

La phrase a pour fonction de produire une sorte de changement de configuration dans un système donné et nécessairement pré-existant [...] Le changement d'état qu'il subit (le système) par la simple intervention d'une phrase peut s'étendre au système complet de tout l'esprit, puisque chacun des éléments psychologiques intéressés peut toujours être relié à tout autre élément de l'ensemble de l'esprit

(Mal., 12)

puis, plus tard :

Il n'est pas de forêt vierge, de buisson d'algue marine, de dédale ou labyrinthe cellulaire — qui soit plus riche en connexions que le domaine de l'esprit
tellement [que] si nous pouvions l'embrasser d'un coup d'œil, lui qui se fait en tant qu'il se montre, par coups de réponses et de résonances — nous verrions le *possible* comme un [*inachevé*]

(1931-2 ; C, XV, 570/CI, 1027)

La conscience se déplace dans un espace ou réseau à plusieurs dimensions dont les sommets sont des « idées » (mots, images, etc.) et dont les côtés représentent les « associations ».

Entre deux sommets quelconques, plusieurs chemins sont possibles sinon une infinité.   (1906-07 ; *C*, III, 891/*CI*, 908)

et cette formule — comme il avait le secret de ces aphorismes éblouissants :

Forêt mentale —
Espace dont chaque « point » est carrefour.
                    (1935 ; *C*, XVIII, 786/ *CI*, 1056)

Or, cette notion de réseau à la base de nos structures mentales est maintenant admise, tant par les psychologues expérimentaux, que par les neurologues.

Parmi les premiers :

La notion de liaison associative peut être généralisée pour donner naissance à celle de réseau associatif. On peut se représenter celui-ci comme constitué d'un ensemble de points correspondant aux « mots » ou à leurs signifiés. Le réseau peut dès lors l'emporter sur ses éléments au point que le signifié d'un mot soit identifié à l'ensemble des autres mots qui lui sont plus ou moins fortement associés.[5]

et parmi les seconds, Jean-Pierre Changeux, toujours dans *L'Homme neuronal* nous parle d'un câblage entre trente milliards de neurones, certains d'entre eux étant en liaison avec 10 000 autres. Ici encore les prémonitions de Valéry nous apparaissent remarquables.

Personnellement, je crois qu'une connaissance des lois de formation de notre langage ne peut résulter que de la découverte des règles d'un processus de transformation : le laminage d'un sous-réseau à la base d'une phrase — multidimensionnel — en un chapelet, une séquence linéaire de mots. Mais toutes les figures de ces laminages n'étant ni équivalentes ni même possibles : certaines plus fréquentes et efficaces, d'autres plus rares et moins aisées, d'autres enfin impossibles : refusées par notre esprit[6]. Revenons à Valéry. Puisque le texte, à la base de nos interventions, avait été écrit à propos de Mallarmé, revenons à l'une de ses premières phrases :

Mallarmé [...] un langage qui évitait à chaque instant mes prévisions ; qui s'interdisait de prendre des habitudes, qui rompait régulièrement les groupes endormis, endurcis, des idées implicites ; qui rendait infructueuse l'expérience d'un liseur rapide.   (*Mal.*, 118)

Et penchons-nous plus particulièrement sur les termes *prévision* et *liseur rapide*.

Parmi les multiples sens attachés au premier : *prévision*, je voudrais en évoquer deux relevant de la théorie de l'information et de la psychologie de la lecture. Shannon, le père de la « théorie de l'information » et ses confrères, dont Léon Brillouin, définissent la *nég-entropie*, cette quantification de l'information exprimée en bits, comme fonction de l'incertitude quant à ce qui sera réellement le message produit. Voici ce qu'en dit l'un des compagnons de Shannon :

L'importance de l'information fournie par le message augmente au fut et à mesure qu'augmente l'incertitude quant à ce que sera réellement le message produit. La (nég)entropie est la mesure de cette incertitude... Plus nous en savons sur le message que la source va produire, moins nous avons de doute, moins il y a de (nég)entropie, et moins il y a d'information.[7]

À l'opposé de cette *originalité* du message se placent la banalité et la *redondance*.

Tout message réel, intelligible est situé entre ces deux pôles extrêmes et je reviendrai un peu plus tard sur certains *mots-outils* de notre langue, théoriquement *redondants*, inutiles ; en fait nécessaires pour la bonne lecture de la phrase. Revenons à Mallarmé : l'hermétisme de ses poèmes n'apparaît alors que comme une certaine *originalité* (au sens où l'entend la « théorie de l'information »), une richesse à laquelle était ô combien sensible le jeune Valéry. Encore devons-nous remarquer que ce facteur (l'originalité) n'est pas suffisant et qu'il faudrait y ajouter un paramètre que Shannon n'avait pas quantifié : le talent.

Puis-je m'éloigner un peu de mon thème en rappelant que la « théorie de l'information » ne constituait qu'une discipline de la science de la cybernétique fondée par Norbert Wiener et dont l'esprit était très proche de celui de Valéry ? Cette cybernétique définie par Louis Couffignal comme « *le moyen d'étendre les théories valables pour le mouvement des organes des machines au comportement des êtres vivants, notamment des êtres humains* »[8], — tandis que Valéry avait écrit 35 ans plus tôt :

« L'esprit » est lié incontestablement à un organe, à un système matériel et énergétique sur lequel nous ne savons rien.

Mon hypothèse est la suivante : Cet organe, si spécialisé soit-il, n'en est pas moins un organe, et comme tel a des traits de fonctionnement qui lui sont communs avec les autres. [...]

Est-il absurde ou impossible de chercher dans les produits de *l'esprit* — quelques traces de ces caractères généraux de fonctionnement ? S'ils sont reconnaissables, ne sont-ils pas les invariants de toute connaissance ?   (1928 ; *C*, XIII, 132/*CI*, 1011-2)

Abordons l'autre face du mot *prévision* : les travaux modernes sur la lecture nous montrent que le processus de lecture met généralement en jeu des fonctions d'anticipation. Ce qui d'ailleurs était déjà connu à la même époque et avait par exemple été noté par Henri Bergson écrivant précisément la même année (1897) :

Goldscheider et Müller [...] ont établi que la lecture courante est un véritable travail de divination, notre esprit cueillant çà et là quelques traits caractéristiques et comblant tout l'intervalle par des souvenirs-images qui, projetés sur le papier, se substituent aux caractères réellement imprimés et nous en donnent l'illusion.[9]

C'est parce que la structure d'un texte habituel permet d'anticiper partiellement soit sa structure syntaxique, soit sa structure sémantique que le lecteur peut avancer plus vite, se comporter en *liseur rapide*. Ce mécanisme n'est d'ailleurs pas spécial à la lecture, n'étant ici qu'un cas particulier d'une loi de la perception que Valéry notait ainsi :

L'œil est organe de la vision, mais le regard est acte de *prévision*, et il est commandé par ce qui *doit* être vu, *veut* être vu, et les négations correspondantes. (*TQ* ; *Œ*, II, 757-8)

Nous ne percevons pas ce que nous percevons mais *ce qu'il faut* que nous percevions, [...] (1929 ; *C*, XIV, 71/*CI*, 1179)

Revenons à la lecture. Cette *pré-vision* au sein du texte, ne peut exister, se manifester qu'au détriment de ses facteurs (du texte) d'incertitude, d'*originalité*. Et — nous l'avons vu — c'était notamment cette *originalité* chez Mallarmé qui séduisait le jeune Valéry.

Passons à des textes plus ordinaires : comment aider le lecteur dans son anticipation de la structure syntaxique ?

Des expériences simples nous apportent des réponses intéressantes. Ainsi dans le cadre de mes recherches sur la lisibilité et la linguistique, j'avais mesuré les performances de mémorisation immédiate d'un groupe de 37 sujets sur 31 phrases choisies aléatoirement dans les *Propos sur l'Éducation* d'Alain[10].

— la phrase la moins bien retenue (44 % de mémorisation sur 22 mots) était : « Le prolétariat isolé dans ses rêveries, la bourgeoisie fermée, les fonctionnaires prudents, la jeunesse résolue et muette, voilà ce qu'on vit. »

— et la mieux retenue (27 mots retenus à 80 %) : « J'en ai vu l'exemple en une grand-mère fort instruite qui n'arriva jamais à enseigner à sa petite fille-le calcul et l'orthographe. »

Plusieurs facteurs expliquent les mauvaises performances sur la première phrase ; j'en citerai deux :
— le verbe — mot essentiel — figurant comme dernier mot (souvenons-nous de l'*empan* de mémoire immédiate)
— la structure énumérative qui s'oppose à toute prévision des mots et des formes syntaxiques à venir.
Par contre la construction de la seconde phrase favorise la prévision — partielle — et de la structure syntaxique et du sens de ce qui viendra.

Et comme j'ai été conforté dans mes recherches quand j'ai pris connaissance des travaux du psycholinguiste David Pearson, qui, ayant entrepris une série d'expériences analogues, non plus sur des adultes, mais sur des enfants âgés de 9 ans, arrivait à des conclusions identiques ! Et notait en particulier : « l'utilisation de "structures-avertissement" renforce nettement la mémorisation des phrases qui les contiennent »[11]. Par « structure-avertissement » (traduit librement de « *cuing condition* ») il fallait entendre des formes linguistiques engendrées par des mots-outils de subordination tels que : *because*, *so*, etc.

Parmi les règles simples pour faciliter la prévision du texte lu, je citerai donc :
— éviter un style énumératif qui ne permet pas de prévoir ce qui suivra chaque séquence de l'énumération
— utiliser des *mots-fonctionnels indicateurs* : tels *car*, *comme*, *quand*, *qui*, *dont*... qui annoncent inévitablement une forme syntaxique assez précise.

Ce qui avait été perçu par Valéry écrivant : « *Ce qui caractérise le plus le langage, ce ne sont pas les substantifs, adjectifs, etc. mais les mots de relation, les si, les que, les or et les donc — —* » (1910 ; *CI*, 397). L'analyse quantitative des écritures des écrivains nous éclaire utilement dans ce domaine. Suivant les statistiques du *Trésor des lettres françaises* (qui a répertorié 1 000 textes littéraires des XIXe et XXe siècles représentant 71 millions de mots) les mots fonctionnels *qui* et dérivés apparaissent 2,63 fois sur 100 mots. Sur les phrases les plus longues de 7 écrivains français du XXe siècle[12] ce pourcentage monte à 3,7 % ; augmentation normale, la longueur importante de la phrase imposant — même inconsciemment — à l'auteur de mieux aider le récepteur dans son travail de lecture. Notons que chez Valéry ce rapport est de 3,9 % alors qu'il est chez Flaubert seulement de 1,6 %. Mais on sait combien ce dernier au cours de ses tests de relecture orale éliminait ces *que*, *qui*... qu'il jugeait inesthétiques. Notons aussi que, en contrepartie, la phrase élémentaire (bornée par 1 ou 2 points-virgules) la plus courte entre les 7 auteurs est celle de Flaubert.

La fonction visuelle, ophtalmologique dans le processus de lecture, si elle constitue un stade, un maillon indispensable, n'est donc tout compte fait que secondaire. C'est d'ailleurs ce que montrent les expériences sur la *lisibilité typographique* ; mais c'est une autre histoire...[13].

Et c'est ce qui faisait écrire à notre auteur :

L'œil n'est que récepteur et n'a qu'un rapport inconnu avec l'image.
(1899 ; C, I, 623/CI, 875)

et plus précisément dans le projet d'article sur Mallarmé en 1897 :

Le lecteur d'une phrase à mesure qu'il avance dans sa lecture transforme les événements verbaux en événements psychologiques. Il en fait des images, des idées, d'autres phrases.   (*Mal.*, 121)

puis, allant plus loin dans la même étude :

Une phrase est en somme la succession dans un temps court et (peu varié) de mots ou plutôt d'impressions nées des mots. L'existence du lecteur consiste à franchir les intervalles de ces mots et à insérer entre des impressions plus ou moins voisines, des phénomènes mentaux plus ou moins abondants [...] Cette considération nous amène à séparer la littérature de son auteur pour ne considérer que son lecteur.

(*Mal.*, 125)

Et il reviendra durant des années sur la même idée écrivant ainsi :

Si les lecteurs n'étaient passifs, mais qu'ils fussent actifs, et eux-mêmes, la littérature changerait rapidement d'aspect et inclinerait vers... Le lecteur actif fait des expériences sur les livres — il essaye des transpositions.

(*TQ* ; *Œ*, II, 559)

Et pourtant que de soins, de méticulosité n'apportait-il pas à ses écrits. On sait ainsi, par exemple, qu'il lui a fallu quatre années pour écrire les 15 pages de *La Jeune Parque*. Étudiant à la Bibliothèque Nationale les manuscrits de *Monsieur Teste*, je tombai sur la phrase qui commence « La promenade avec Monsieur Teste »[14] :

Je me rencontre, l'été, le matin, près d'onze heures, sur un trottoir plein d'oisifs, voisin de la Madeleine où j'ai pris l'habitude d'aller faire des pas, fumer, réfléchir à ce que dit le journal du jour, c'est-à-dire se raconter tout ce qu'il ne dit pas. Bientôt je me heurte à M. Teste [...]

(*Œ*, II, 57)

phrase banale dans sa forme et dans son sujet. Et pourtant j'en ai relevé 7 versions avec des modifications très légères dont 4 mises au net, dactylographiées avec corrections. Et cependant le même auteur écrivait :

Il n'y a pas de vrai sens d'un texte. Pas d'autorité de l'auteur. Quoi qu'il ait *voulu dire*, il a écrit ce qu'il a écrit. Une fois publié, un texte est comme un appareil dont chacun peut se servir à sa guise et selon ses moyens : il n'est pas sûr que le constructeur en use mieux qu'un autre.[15]

(*Œ*, I, 1507)

72

anticipant ainsi sur les théories modernes, par exemple d'un Roland Barthes, assimilant à une production toute lecture d'un texte littéraire : « [...] *l'enjeu du travail littéraire (de la littérature comme travail), c'est de faire du lecteur, non plus un consommateur, mais un producteur du texte* »[16].

Puisse mon texte — cette intervention que je termine — participer à la production par chacun d'entre vous d'un sens : de votre sens — peut-être différent du mien — à propos des rapports entre la pensée de Paul Valéry et une psychologie pragmatique du langage.

1. G. MOUNIN, *Dictionnaire de la linguistique* (Paris, P.U.F., 1974).

2. BERNE-JOFFROY, « Propos me concernant », introduction à *Présence de Valéry* (Paris, Plon, 1944), p. 13.

3. F. LHERMITE, Communication à l'Académie des Sciences (5 avril 1976).

4. J.-P. CHANGEUX, *L'Homme neuronal* (Paris, Fayard, 1983).

5. J.-F. LE NY, *La Sémantique psychologique* (Paris, P.U.F., 1979).

6. F. RICHAUDEAU, « Schématisation et Langage », *Schéma et schématisation*, 1984, n° 20.

7. J. R. PIERCE, *Symboles, signaux et bruits — introduction à la théorie de l'information* (Paris, Masson, 1961-1966).

8. L. COUFFIGNAL, *La Cybernétique* (Paris, P.U.F., « Que sais-je ? », 1963).

9. H. BERGSON, *Matière et mémoire* (Paris, P.U.F., 1897).

10. F. RICHAUDEAU, *La Linguistique pragmatique* (Paris, Retz, 1981).

11. P. D. PEARSON, « The effects of grammatical complexity on children's comprehension, recall and conception of certain semantic relations », *Reading Research Quarterly*, Vol. 10, 1974-1975, no. 2.

12. Aragon, Flaubert, Giono, Proust, Simenon, Valéry, Yourcenar (Céline aussi a été étudié... mais c'est une autre histoire). Voir les numéros 45, 53, 56, 59, 61, 63 de *Communication et Langages*. En ce qui concerne Valéry, le texte aux phrases les plus courtes est *Monsieur Teste*, celui aux phrases les plus longues est l'« Introduction à la Méthode de Léonard de Vinci ». En ce qui concerne les Cahiers, les phrases écrites les dernières années apparaissent significativement plus longues que les phrases écrites les premières années.

13. « Les huit facteurs de lisibilité typographique » in F. RICHAUDEAU, *Recherches actuelles sur la lisibilité* (Paris, Retz, 1984).

14. Chapitre de *Monsieur Teste* publié après la mort de l'auteur.

15. Préface à G. COHEN, *Essai d'explication du "Cimetière marin"* (Paris, Gallimard, 1958).

16. R. BARTHES, *S/Z* (Paris, Seuil, 1970), p. 10.

5

ENTRE BRÉAL ET MALLARMÉ

par Nicole CELEYRETTE-PIETRI

Dès le premier Cahier, le « Journal de bord » de 1894, Valéry engage une réflexion sur le langage bientôt considérée comme essentielle dans les projets et les « Programmes » : « *J'ai à reprendre, l'espace d'une part, l'énergie de l'autre. Le langage aussi.* » (*C*, I, 75). Les notes sur ce thème sont une constante ; nombreuses dans le Cahier « Tabulae... Table de mes tentations », elles tentent parfois de se rassembler dans un des premiers cahiers thématiques, « Analyse du langage », en 1897. C'est un moment décisif dans la pensée de Valéry. Selon une pratique qui lui est alors familière, il va s'efforcer de faire une synthèse partielle des idées en travail dans les Cahiers. Il entreprend un essai sur Mallarmé dont il rédige l'introduction, de portée générale : avant de parler du poète, il faut parler de la littérature, et auparavant du langage, de la phrase, des mots. L'essai demeure inachevé, la rédaction sinon tout à fait le chantier, ayant été abandonnée sans doute après la mort brutale du Maître et de l'ami en 1898. Dans le même temps, sollicité par Marcel Schwob, Valéry lit l'*Essai de Sémantique* de Michel Bréal, en vue d'un compte rendu dans le *Mercure de France* qui paraît en janvier 1898. La confrontation des deux textes, et des notes des Cahiers qui en sont la préparation ou le prolongement, peut permettre de faire le point. Les lettres à Gide confirment l'importance qu'ont pour leur auteur ces essais. Il le dit, selon son habitude, sous le couvert de la dénégation : c'est là *machin*, dont il est mécontent :

J'ai eu hier la petite satisfaction d'exposer [...] quelques idées concernant les théories psycholittéraires, dont je me servirai dans mon machin sur Mallarmé (si je le fais).   (22 févr. 97 ; *Corr. GV*, 285-6).

L'être Paul jouit d'une santé moyenne et variable, comme d'habitude. Son *Mallarmé* stagne de plus en plus. Toutefois les études pour cet ours ne sont pas absolument infructueuses. Elles me rapportent des épaves inattendues, et qui d'ailleurs n'auront rien à voir avec le factum, s'il aura lieu. J'ai trouvé ces jours-ci (car je macère en d'abstruses excogitations sur le langage) des propriétés assez curieuses concernant la théorie *psy.* des *mots*. Toutes ces choses mourront avec moi — et même avant — mais je les aime. En deux *mots*, j'ai aperçu une définition du mot très séduisante dont voici un coin : « On le pense sans l'altérer. » Ceci demanderait beaucoup d'explications et de béquilles. Ensuite j'ai vu (ce matin même) une base propice à cette fameuse classification des mots dont je t'ai parlé, et qui serait à la vieille classification (concret-abstrait) ce que la gamme de tous les rayons connus maintenant est à la vieille lumière modeste.

Tu te rappelles peut-être d'autres vieilles idées bibiennes, concernant des degrés de complexité, etc. Avec mon nouveau truc, j'aurais des classes psychologiques de mots, j'appliquerais alors ces vieilles idées sur la construction aux groupes verbaux, etc. (19 avril 97 ; *Corr. GV*, 292)

Mon machin Sémantique a paru. J'en suis très positivement mécontent, mais zut !...   (11 janv. 98 ; *Corr. GV*, 304)

Le machin Sémantique est l'article que j'ai fait sur le bouquin *La Sémantique* ; je suis très mécontent de ce machin, mélange.

(15 janv. ; *Corr. GV*, 292)

La même lettre expose le premier scénario d'« Agathe », expérience d'écriture où l'on pourrait voir l'amorce de travaux pratiques sur la théorie. Valéry a d'autre part élaboré dans le cahier « I + R... » ce qu'il nomme la « Théorie des opérations », ou, dans une lettre à Gustave Fourment du 4 janvier 1898 le

« *point de vue d'Arithmetica Universalis* » (*Corr. VF*, 147). Développant assez longuement l'exemple du langage, il précise : « *(voir dans le* Mercure *de janvier, un article méli-mélo sur la Sémantique).* » (149). Dans le *Mercure de France* de mai 1899, l'article sur « Le temps »[1], écrit en 1898, reprend largement la théorie des opérations. Des rapports serrés existent entre tous ces travaux. Et Valéry, il l'écrit à Gide, aurait besoin d'une écoute — « *quelqu'un à raser* » (15 janv. 98 ; *Corr. GV* 309) — pour exposer de vive voix et débrouiller « *diverses choses entortillées* [...] *et en finir* ». Dans un virtuel « Système » dès lors imaginé et qu'il a songé à écrire et à publier[2], le chapitre « Langage » aurait une place privilégiée et même le statut d'un préalable à toute rédaction.

C'est pourquoi le lecteur assidu des poèmes du plus lucide praticien du langage, le fidèle des mardis de la rue de Rome, se veut aussi critique attentif du sémanticien et s'attache à Bréal, à sa « Science des significations », jusqu'à faire de son livre un *vrai* compte rendu. Il résume plusieurs chapitres de la première partie, évoque les problèmes plus généraux que suggèrent les autres, introduit à la fin de l'article un point de vue personnel, tout en laissant dans les brouillons un élément de critique : « *Je trouve que dans son ouvrage, les procédés d'explication fondés sur l'étude directe des phénomènes linguistiques ne sont peut-être pas assez suffisamment distingués de ceux obtenus par les moyens historiques, par l'étymologie etc.* » (« Articles », BN ms, f° 21). Et en fait, c'est l'état actuel de la langue, beaucoup plus que son évolution historique, qui retient l'attention de Valéry.

Bien que les références soient claires, le nom de Bréal n'apparaît pas dans les Cahiers : c'est inutile. Ils sont alors journal de bord de la pensée et des écrits, et non pas document pour la postérité. Valéry d'ailleurs nomme peu ses « sources », sauf lorsqu'il cite explicitement (ainsi en ce temps-là Poincaré). Parfois il brouille les pistes. « *Condillac est absurde* » écrit-il (*C*, I, 137). Or il doit beaucoup à Condillac et apprécie peut-être chez Bréal l'inspiration condillacienne. Pas plus que Bréal et Condillac il ne s'engage dans le débat de l'*orthotês onomatôn*. Il affirme : « *Origine arbitraire du mot* » (*Anal.*, I, 143), et parle de « *l'impossibilité d'une relation rationnelle* », le couple mot-idée étant l'exemple canonique de la « *relation irrationnelle* » ou « *symbolique* » :

L'accouplement d'un son avec une idée, qui font un mot, est parfaitement arbitraire, dans le cas le plus général. (*Mal.*, 120)

[...] les signes du langage sont absolument distincts de leur sens ; aucun chemin rationnel ou empirique ne peut mener du signe au sens.

(*Sém.*, 1453)

Il n'y a pas plus de rapport entre mot et signification qu'entre mouvement et chaleur. (*C*, I, 231)

L'irrationalité du mot est totale, et Valéry exclut tout compromis, même partiel : « *Il y a autant de difficultés à passer analytiquement d'une onomatopée au substantif que du pur néant au langage articulé complet* [...] ». (*Sém.*, 1450). Dans un fragment du brouillon de la *Sémantique* intégré aux *Cahiers* dans l'édition C.N.R.S. (I, 794-5), Valéry souligne que l'arbitraire peut aussi se voir à l'œuvre dans la création d'énoncés :

L'arbitraire joue un grand rôle. Si un individu crée une forme, fait une phrase, il a pu grâce à l'arbitraire qui lui permet de faire presque ce qu'il veut, avoir une nouvelle application, une généralisation, etc. *Cette forme passe dans le langage général si les autres peuvent l'associer de même.* (795)

Mais le mot lui-même, et c'est son caractère essentiel, se définit comme élément fixe : « *L'action de l'individu sur le mot est nulle* » (*Mal.*, 119). Tel est le leitmotiv qui relie les travaux de ce temps : *Le mot, on le pense sans l'altérer.*

Invariant donc dans le champ de la connaissance, le mot est une sensation singulière, auditive et/ou visuelle. Valéry songe souvent au lecteur, dans le « Mallarmé », mais aussi dans les Cahiers où il prend pour exemple la graphie du mot *maison* (*C*, I, 418). Et cette sensation a la propriété de « *conserver une relation invariable avec certains phénomènes psychiques* » (*Mal.*, 122) : entendons avec la perception du signe comme tel, ce qui apparaît clairement dans le passage cité :

Si je fais uosᴉɐɯ on dira que c'est le *mot* maison *renversé*.

(C, I, 418)

mais aussi avec les associations sémantiques à contours très variables qui ont été liées à lui dans la situation d'apprentissage (comment apprend-on les mots) et dans les usages ultérieurs.

Le langage ne prétend pas plus représenter la pensée que la réalité des choses. Une *herbe* est la somme très simplifiée d'une foule de sensations. Valéry rejoint Bréal :

Le langage n'est pas la reproduction de la pensée. Il ne s'occupe pas des phénomènes mentaux réels — mais d'une image simplifiée et très lointaine de ces phénomènes. (*Mal.* ms, f° 50)

Si je prends un être réel, un objet existant dans la nature, il sera impossible au langage de faire entrer dans le mot toutes les notions que cet être ou cet objet éveille dans l'esprit. (B, 178)

À cette époque, Valéry, dans son analyse du signe, est l'héritier d'une tradition ; celle, stoïcienne, fondée sur une relation ternaire, où interviennent mot, chose et image (mot, chose, image : *cheval* (voir *Anal.*, 145)). On remarquera toutefois que la notion d'image — ce qui est I dans la relation I + R — recouvre l'image vraie et le concept[3] qui peut être, nous y reviendrons, un pseudo-concept. Valéry insiste sur l'effet de réalité : la description d'une fête provoque un souvenir de fête (144), le mot *piqûre* une sensation de piqûre (143). On remarquera aussi la notion de référence commune : il n'est de langage que dans l'intersubjectivité, et dans la communication. Si la réalité est définie comme la référence commune du langage (et à l'inverse le langage par son rapport régulier avec la réalité), Valéry s'amuse à poser le problème de la communication avec des extra-terrestres :

> Qu'il faille inventer *quelque chose* pour correspondre avec une race bien différente, — avec les Martiens — et le problème s'élève. Il faut d'abord trouver une commune mesure, une référence unanime, un objet qui résiste aussi à notre propre pensée incessante. C'est un tel objet que nous nommons *réalité*. (*Mal.*, 119)

Dans sa sténographie particulière, il résume ainsi le schéma de la communication :

Soit A un point du système réalité
    A' —   — mental de M[onsieur] a' correspondant à A
    A" —   —   —   — M[onsieur] a" correspondant à A
(1) φ (A A') = φ (A A") ou bien A' = A" (mod[ulo] A)
                              A' ≡ A"

(*C*, I, 585)

Et il ajoute : « *il y a des mots qui ne se trouvent pas dans le système A* »

Ce que traduisent ces notes, nombreuses, c'est le besoin fondamental d'une théorie du langage, que tentent, faute de mieux, de satisfaire ce que Valéry, dans sa lettre à Gide, nomme les « *vieilles idées bibiennes* » (*Corr. GV*, 292).

L'époque moderne en effet, écrit Valéry en 1897, n'a pas su faire « *la théorie des moyens du langage* » (*Mal.*, 118), elle n'a pas poursuivi les recherches des anciens sur une « *science de la parole* ». Il se réfère à la logique formelle et à la rhétorique, avec quelque regret de l'ancienne syllogistique et de l'art des figures. L'article sur la *Sémantique* de la même façon déplore la « *négligence singulière* » (*Sém.*, 1450) qui laisse le langage bien plus mal connu que les autres phénomènes, et les problèmes essentiels inabordables ou plutôt pas même posés : « [...] *qu'est-ce qu'un substantif, un verbe, une phrase ?* » Et quelles sont « *les relations fondamentales du langage avec ce qu'on nomme, par hypothèse, l'esprit* » ? À ces questions, pas de réponse. Sans citer de nom, Valéry renvoie « *les linguistes* » au néant : « *Leurs œuvres, recueils, myriades de traits, constatations de fréquence, usage libéral de métaphores, qui s'évanouissent au premier essai, n'ouvrent rien.* » Vint enfin Bréal, inventeur, rappelons-le, de la « sémantique », « science des significations » qui veut prendre place à côté de la science des sons, de la phonétique. Ce qui peut séduire Valéry dans ce livre n'est pas l'analyse historique et lexicologique qu'il propose, mais son fondement psychologique : « *La Sémantique* [...] *regarde le langage comme le moyen de la compréhension et le résultat des opérations principales de la pensée.* » (1451). Relisons Bréal :

Je peux, par un ensemble de signes vocaux, diriger la pensée d'autrui sur les mêmes objets où s'est arrêtée la mienne ; je peux, grâce à l'écriture, donner à ces signes une forme durable. Mais il n'y a pas là autre chose qu'une opération de l'esprit provoquée par des moyens extérieurs [...] Tout, dans le langage, vient de l'homme et s'adresse à l'homme.   (B, 309)

Hors de notre esprit, le langage n'a ni vie ni réalité.   (B, 280)

Et Valéry : « *Le langage ne peut être étudié que par rapport à des phénomènes mentaux : ceux dont il provient et ceux qu'il suscite.* » (*Mal.*, 122). Il ne reniera jamais cette idée bréalienne, en insistant sur la nécessité de considérer le langage comme un moyen de correspondre avec les autres certes, mais aussi avec soi : c'est-à-dire, en fait, de penser.

Le langage communique l'homme à l'homme, et l'homme à lui-même.
                                                                   (*Mal.*, 119)

[L'individu] fait tout ce qu'il peut pour *se comprendre*, — lui qui se parle, avant tout, quand il parle. (*Sém.*, 1454)

À la même époque, dans un « Plan pour le langage », sous la rubrique « Le mot — le dénominable », Valéry s'arrête sur ces mots particuliers que sont les noms de nombre : « *Noms de nombre : qu'il était nécessaire qu'on eût un SYSTÈME de numération — à cause de l'infinitude. Or la phrase ordinaire est la même chose — elle est nécessaire par l'infinitude des choses —* » (Plan). On notera ici la résonance condillacienne. Sous le titre « De l'opération par laquelle nous donnons des signes à nos idées », Condillac écrit : « *L'arithmétique fournit un exemple bien sensible de la nécessité des signes. Si après avoir donné un nom à l'unité nous n'en imaginions pas successivement pour toutes les idées que nous formons par la multiplication de cette première, il nous serait impossible de faire aucun progrès dans la connaissance des nombres.* »[4]. On comprend mieux, par analogie, l'importance accordée à l'acte de *dénominer*, en matière de psychologie, comme un préalable absolu à toute recherche linguistique. « *Avant tout dénominer et définir correctement — autrement je n'en sors pas.* » (*C,I,755*). La *Sémantique* est sur ce point fort éclairanet, et pose les bases de ce que plus tard, au long des Cahiers, Valéry désignera comme l'entreprise de toute sa vie. Si, avec Bréal, on doit considérer le langage comme une opération de l'esprit, alors il faut, pour en traiter, un langage exact pour représenter la connaissance. La « *nullité de la psychologie* » (*Sém.*, 1450) fonde l'impuissance des linguistes. Ils peuvent seulement « *aboutir à des propositions qu'ils appellent des lois, et qui sont ou extrêmement vagues ou extrêmement fausses ou extrêmement inutiles* ». La critique valéryenne des notions abstraites, qui se confond souvent avec une critique des « philosophies », s'explicite très simplement dans ce préambule méthodologique :

La Sémantique [...] ne dispose malheureusement pas d'une psychologie commode [...]. Elle rencontre, dans toutes les théories de l'esprit, des termes trop anciens, débordants, confondus dans leur passé, pleins de querelles, tels que *volonté, intelligence,* etc., qui font incessamment commettre à ceux qui les emploient des jugements synthétiques inconscients. Je trouve désirable que tous les termes destinés à figurer dans une Sémantique soient plus rigoureusement et plus conventionnellement définis que ceux de la géométrie elle-même ; puisqu'il s'agit de fixer quelques notions pour y rapporter toutes les autres...

(Sém., 1451)

Ce qui plus tard (1931) s'inscrira dans une formule-programme : « *Dictionnaire des Mots essentiels de la Langue ou des valeurs raisonnées des termes qui définissent ou expliquent tous les autres* » (C, XIV, 881). On notera que Bréal qui utilise la notion de « loi », et affirme que le langage a « *son siège dans notre intelligence* » (B, 314) n'est pas à l'abri de cette critique.

Il est facile, dès les premiers Cahiers, de remarquer la place qu'occupe le projet nommé plus tard par Valéry celui du *langage absolu* et l'on pourrait multiplier tant les déclarations d'intention que les ébauches de réalisation :

Remplacer les antiques notions abstraites, mêlées d'erreurs aujourd'hui claires, ou fondées sur des axiomes purement logiques ou verbaux par des notations relatives à des données psychiques exactes, telles que des variations. (*C,* I, 136)

Ces années, j'ai étudié la langue et le temps. Plus généralement les notations et les opérations. Je pense à un langage plus général que le commun et parfaitement précis pour représenter la connaissance. J'en arrive à concevoir que [je me refuse à discuter ou à comprendre tout résultat énoncé dans le langage commun].
Je me refuse à *ne pas* tenir compte de ce qu'est ce langage quand on me donne une question qu'il habille ou transforme. (*C,* I, 876)

Certains mots (les ABSTRAITS) équivalent à des phrases c'est-à-dire à des formules d'opérations. Il y a une relation entre les verbes et les mots abstraits. (*C,* I, 714)

Cette dernière note précise et éclaire ce que Valéry dit dans la *Sémantique* : « *il n'y a pas de grandes différences intérieures entre le mot, la locution et la phrase.* » (*Sém.*, 1454). Mais la phrase pose le problème de l'énoncé cohérent, c'est-à-dire de la logique.

Bréal n'aborde le problème de la logique que pour introduire celle qui régit la grammaire (ainsi l'emploi de l'accusatif comme cas de lieu en latin). Mais Valéry, au moins dans les brouillons de son article, prend prétexte de la *Sémantique* pour poser le problème, fréquent dans les Cahiers, de la logique et du langage.

Je puis maintenant étudier un problème particulier que j'ai réservé à la fin de ce compte rendu. Ce problème touche de si près à la Sémantique que M. Bréal l'a bien souvent posé dans son livre, directement ou non. Il s'agit des rapports de la Logique et du Langage. Comment se fait-il que l'on puisse parler avec contradiction, faire des syllogismes justes et absurdes ? comment notre esprit peut-il arriver à former et à employer des propositions contradictoires ? (« Articles », BN ms, f° 26)

Bréal remarquait en passant que le langage « *permet de dire d'un cercle qu'il est carré* » (B, 224), et le « Journal... » note : « *les erreurs et les contradictions n'ont lieu que par le langage et dans lui* » (*C*, I, 30). En fait le pouvoir de dire faux est un vieux problème que l'on trouve chez Platon dans *Le Sophiste* et le *Théétête*. Mais Valéry songe aux « paralogismes », aux « erreurs délicates » qui dissimulent des fautes de raisonnement ou plus simplement un vide. Avec la volonté de tout replacer dans la réalité de l'expérience mentale, il juge nécessaire une réfection du lexique, en particulier celui qui doit représenter la connaissance. Il faut voir ce qui se passe réellement dans l'esprit, et non se borner à associer des mots. Quand on « *pense verbalement* » (612) il n'y a pas « *activité directe de l'esprit* [...] *Pendant qu'on pense verbalement où sont les significations des mots pensés ?* »

Les Cahiers s'attachent au cas où au mot ne correspond nulle *chose*, mais des idées ou images vagues. Tels sont les pseudo-concepts sans référence commune. Face aux mots référés comme *arbre* ou *cheval*, les Cahiers inscrivent souvent le mot *Dieu* : « *La nature psychologique de "Dieu" est d'être une image ou un concept quelconque qui ne vient à l'esprit de personne tant que les circonstances restent claires ou ordinaires.* » (*C*, I, 134 ; voir 151, annexe p. 127). Il faut proscrire du langage personnel de tels mots ou les doubler d'une définition référée qui leur donne un sens précis dans l'esprit : intervenir donc dans les phénomènes mentaux liés à un mot. Les Cahiers visent particulièrement les mots abstraits, mais aussi d'autres qui semblent clairs. Dès 1894 on voit s'amorcer ce que Valéry nommera sa carrière de *définiteur*, adjoignant aux mots un corrélat moteur ou sensible qui renvoie le lecteur à une mimique possible. C'est le langage des *pouvoirs réels*, qui s'efforce de tout traduire dans des mots dont la référence commune, claire, est la sensation et la motricité volontaire. Ainsi la matière sera définie : « *On appelle matière un certain caractère commun des sensations du tact et des muscles. Ces sensations sont liées à l'idée d'énergie qui en provient.* » (*C*, I, 135). Ainsi encore le point ou la ligne droite « *au sujet de laquelle* », écrit Valéry à Gide, « *les géomètres, par peur de faire appel à ce qui est, c'est-à-dire à une image et à une propriété assez simple de cette image, ont inventé les propositions les plus cercles-vicieuses du monde* » (*Corr. GV*, 370) : « *On appelle droite l'association de ce nom — à l'image d'une bande, telle que toute elle est connue si on en connaît une portion* quelconque » (*C*, I, 692) « *On nomme point une tache sur un lieu de couleur autre.* » Ou bien, sur l'infini : « *Du sens absolu ou relatif des mots — ainsi l'infini est concevable et inconcevable — au regard absolu c'est un mot* nul, *inexistant — au sens relatif, il désigne une opération en train de se* faire par rapport à une chose fixe. » (713). Le travail s'attache surtout aux « mots philosophiques ». Ils « *sont beaucoup trop vagues pour pouvoir saisir la pensée dans son détail, il leur est impossible de se former en raisonnements de la vraie logique de l'homme* » (131). Les Cahiers poursuivent une redéfinition des mots *attention, mémoire, imagination,* dénonçant les « *sophismes psychologiques* » (*C*, II, 52) que sont ces mots quand on les considère comme des notions simples. « *L'imagination* [...] [*son*] *vrai nom* [est] *déformation de souvenirs de sensation.* » Valéry sur ce point ne suit pas Bréal qui note : « *Ce qu'il y a, dans nos langues, de plus adéquat à l'objet, ce sont les noms abstraits, puisqu'ils représentent une simple opération de l'esprit : quand je prends les deux mots* compressibilité, immortalité, *tout ce qui se trouve dans l'idée se trouve dans le mot.* » (B, 178). Mais la critique valéryenne, ou plutôt la recherche de ce qui se passe vraiment dans la pensée, a une portée générale. Que veut dire en réalité *exprimer* quand on affirme que « *tout peut s'exprimer* » (*Sém.*, 1450) ? ou encore : « *Qu'est-ce que : penser une négation ? former une négation. Cela existe-t-il hors du langage ?* » (*C*, I, 687). La correspondance avec Gide montre une fois de plus cette volonté :

C'est curieux qu'on ne trouve chez aucun philosophe de métier la préoccupation d'établir aussi rigoureusement que possible la correspondance des mots et phrases à des faits intérieurs. Pour moi, c'est une étude pleine d'amusement qui m'a été suggérée dans le principe par des réflexions sur le temps et par la théorie de la construction des cartes géographiques, c'est-à-dire des transformations de figures.

La théorie du verbe m'occupe donc ces jours-ci, et il me semble en tenir le principe. Il faut voir dans les grammaires les définitions qu'on donne du verbe![5]   (1900 ; *Corr. GV*, 370)

À côté des définitions, il faudrait rassembler les fragments de cette théorie des mots envisagée, présente dans de nombreux passages et dont l'analyse fine est à faire :

Les mots désignent des qualités — bleu, blanc, mobile, grand
et puis *devenir — cesser de — être cette qualité*
Ils désignent des objets bien connus ciel, arbre, pain etc. — ou des substances
et puis faire cet objet ou défaire, l'enlever, le mouvoir, s'en servir
(sauf les objets naturels) en général.   (*C*, I, 590)

Dans le verbe il y a
je vais à la chasse   faire
[je vais à] la chasse   je gagne la chasse
    je dors (suis) *être*, état
Tout verbe au fond est actif, neutre, etc. suivant les cas
Les seuls verbes actifs sont *avoir* et *faire* (ou agir)   (*C*, I, 771)

Les verbes anglais (*I do see* (*C*, I, 771)), les conjugaisons latines dans des notes plus tardives, sont également interrogés. La recherche est suivie et serrée, plus difficile à cerner qu'on ne le croit de prime abord.

Valéry envisage les mots dans leur nature et leur fonction, et le mécanisme de la phrase élémentaire dont il cherche la loi : « *Cette loi doit exister entre la somme des phénomènes* ψ *des mots de la phrase et le composé qu'ils donnent* » (*Tab.*, 307). Une note laconique est le schéma d'une analyse à faire :

      sujet — verbe — attribut
      substantif — verbe — adjectif   (*Log.*, 133)

L'accent mis sur le verbe, comme la référence à l'agir/sentir, rejoint la conception du langage qu'on trouve dans la *Grammaire comparée* de Bopp, ainsi définie par Michel Foucault : « *Le langage "s'enracine" non pas du côté des choses perçues, mais du côté du sujet en son activité* »[6]. On remarquera que, dans la constitution de la phrase, Valéry marque sa préférence pour la langue actuelle, fondée sur l'ordre des mots et non, comme le latin, sur les flexions, où un élément de sens passe dans la variation du mot. L'exemple bréalien était : « *Les Japonais ont vaincu les Chinois* » (B, 217). Chez Valéry :

| Deus amat hominem | Intellection fondée actuellement sur l'ordre qui |
| God loves the man | prédomine |

(Tab., 183)

En fait, les Cahiers dessinent un double itinéraire. L'un idéal, songe au modèle de l'algèbre :

Invention d'une langue symbolisant les opérations de l'esprit. Pour y arriver, analyse ce que c'est qu'une langue par rapport à ces opérations, et son jeu. (*C*, I, 129)

Problème capital (Langages etc.) Pourquoi à chaque état de connaissance donné ne peut-on trouver ou former un signe adéquat et unique et *uniforme* — ce qui éviterait les langages et leurs analyses très spéciales et très grossières ? (*C*, I, 698)

Une sténographie de la pensée est par moment un tenant lieu :

L'accord réel étant φ (α, β, γ... μ) = A, l'image f(A) ne contient que φ (α, β, ν), (en d'autres termes on suppose A à partir de f(A) ; or $\varphi(\alpha, \beta, \nu)$ = f(A) peut subir des variations impossibles à A. Donc la transformation de A en f(A) est un changement de *degré* — par suite d'une diminution du degré de liberté. Telle est l'abstraction.[8]

(Log., 130)

Le préalable est ce problème qui devrait se poser aux psychologues comme aux logiciens : « *Fabriquer le premier instrument à porter sur la parole* [...], [*entreprendre*] *l'analyse des conditions communes à tous les systèmes de notations* » (*Sém.*, 1450). C'est l'idée d'une sémiotique. D'une façon plus constante, Valéry se fait son propre langage à l'intérieur de la langue naturelle et par elle, constituant un code à l'intérieur du code par le double jeu des mots refusés et des redéfinitions. Et c'est là tout le « Système », défini dès 1897 en des termes qui ne changeront pas : « *Le Système consiste à tout traduire dans un langage homogène*, réaliste *quant à l'esprit, et à opérer sur ces données à l'aide des opérations légitimes, puis-*

santes, seulement mentales qui sont classées et déterminées. »
(*C*, I, 437). Le point de départ de ce travail en profondeur fut
la *Sémantique*. Valéry à ce propos donnera en 1918 ces précisions à Jean Paulhan :

> Le langage dans les années qui ont suivi m'a bien souvent sollicité. Mais les réflexions que j'ai pu faire à son sujet sont demeurées à l'état de notes éparses, les unes touchant de plus près à ce qu'on appelle psychologie ; les autres étaient des essais de généralisations qui s'apparentaient à la logique la plus formelle et à l'algèbre ; d'autres encore liant les premières à la littérature. (Cité in *Corr. FV*, 244)

La *Sémantique* cependant nous révèle une autre lecture de
Bréal, un autre usage du livre, tant comme objet que comme
véhicule de sens : le jeu conjoint de l'accélération et du
hasard provoque une approche différente. Dans un feuilletage
bref, après le parcours lent et linéaire, le livre devenu *roue* de
pages se découvre autre par cette appréhension neuve où le
rapprochement insolite crée des effets de sens imprévisibles.
S'esquissent alors trois niveaux bien distincts d'une possible
réception :

> Il sort de ce livre feuilleté FINALEMENT, revu à travers la roue de ses pages, connu et devenu rapide, — le mélange des idées qui s'y trouvent et de celles qui s'en déduisent, et de celles inventées, par le contact d'une première ligne et d'une dernière, brusquement heureux.
> (*Sém.*, 1453)

La relation rationnelle de la déduction côtoie l'arbitraire des
voisinages fortuits. C'est la découverte alors de l'objet langage
dans sa matérialité et non plus comme objet d'une communication-
consommation. Un style quasi poétique le prend maintenant
en charge.

> Vaguement, d'abord, le langage se montre : proposé comme difficulté ; privé de l'accoutumance où il se cache ; forcé de parler de lui-même, de se nommer ; pourvu, à cette fin, de nouveaux signes. [...] On remarque des sonorités qui paraissent, qui s'étouffent, qui se

confondent, qui se détachent ; on sent des idées pâlir, bifurquer, s'étendre, être substituées, changer de bruit. Il y a d'inexplicables désuétudes, d'absurdes succès : échanges, altération continuelle, permutations de concepts et d'images, révocations lentes et sûres du dictionnaire de l'entendement. (*Sém.*, 1453)

Ce regard jeté sur l'évolution historique de la langue et du lexique est celui non d'un philologue mais d'un philosophe et d'un poète, qui rencontre, parmi d'autres, une expérience de l'étrangeté : l'altération de ce qui était posé comme invariant, le mot qu'*on pense sans l'altérer*, brusquement mis en cause par ces idées qui « change[nt] de bruit ». Masquée d'ordinaire par la facilité de la compréhension, la singularité du fait *langage* se révèle à un lecteur assez semblable à l'observateur de l'« Introduction à la méthode de Léonard de Vinci », capable de voir autrement les choses et leurs étranges combinaisons. Le problème est alors de retrouver l'habitude, de « recomprendre consciemment » les formes familières devenues étonnantes.

Examinons encore un autre exercice de lecture où *le langage se montre*, et par lequel Valéry déjoue l'ordinaire consommation des énoncés. « *Regardons encore quelque chose : un texte.* » (*Sém.*, 1455) : mais pour en perdre ou détruire la signification. Pour laisser chaque mot jouer seul, et, devenu libre, se relier à des milliers d'associations. Ou encore pour entrer dans cette théorie que Valéry a maintes fois rêvé de faire :

Imaginons un classement quelconque des mots : apprécions minutieusement leurs différences grammaticales c'est-à-dire leurs lois de pluralité, d'existence dans la durée, leurs natures psychologiques. [...] Rappelons-nous ce que nous savons d'histoire, de linguistique, d'étymologie. (*Sém.*, 1455)

Après ce lent et minutieux mot à mot, tout fait d'« *efforts exagérés* », associant à chaque terme son « *étage historique* », qui peut passer sur un vers « *péniblement, percevant toutes ces différences* », débute une autre expérience de lecture étrange. « *On aura l'impression que donne un monument dont les membres sont antiques, l'ordre barbare ; ou bien celle qu'éveille un pauvre, vêtu de quotidiens mangés de prose et qui les a collés pour s'en faire une chemise de fortune.* » (*Sém.*, 1455). L'image, curieuse, est dans les Cahiers : « *pauvres vêtus de journaux* » (*C*, I, 796), mais assortie d'une remarque qui lui ôte tout caractère dépréciatif : « *faire un nouveau sens avec tant de mots jamais éculés* »[9].

La minutieuse expérience de cette charge excessive de signification donnée par une telle lecture peut inquiéter le praticien de l'écriture : « *Une conscience cruelle donne à la moindre ligne [...] la difficulté de la théorie de la lune.* » (*Sém.*, 1455). « *Que l'écrivain ne s'en doute pas* », ajoute Valéry, qui dans les Cahiers note à l'inverse : « *L'écrivain, agent si important du langage, ne peut se désintéresser de la Sémantique. La Science des Significations* » (*C*, I, 796). Quand il évoque de longues conversations avec Marcel Schwob sur mots et locutions, une autre figure s'impose : celle de Mallarmé, le Mallarmé des « mardis », celui aussi des *Mots anglais*, où Valéry voit, il le dira plus tard, « *peut-être le document le plus révélateur que nous possédions sur [son] travail* » (*Œ*, I, 686).

On ne s'étonnera pas que l'essai sur Mallarmé ait commencé par développer cette proposition : « *Je prends la littérature pour une extension des propriétés du langage* » (*Mall.*, 119). Les souvenirs de ce temps-là rappellent que les problèmes du langage étaient au cœur même de l'admiration et de l'amitié :

Parfois, considérant l'appareil neuf et délicieux de quelque endroit de ses poèmes, je me disais qu'il avait arrêté sa pensée sur presque tous les mots de notre langue. Le livre singulier qu'il a écrit sur le vocabulaire anglais suppose bien des études et des réflexions sur le nôtre.

[...] Mallarmé s'était fait une sorte de science de *ses* mots.

(Œ, I, 655)

Le lent travail de sémanticien que suggérait le livre de Bréal, cet effort de conscience cruelle[10], c'est celui que Valéry pensait à l'œuvre chez Mallarmé. Il faut citer ici un des rares échos des soirées de la rue de Rome :

Il me semblait quelquefois qu'il eût examiné, pesé, miré tous les mots de la langue un à un, comme un lapidaire ses pierres, tant la sonorité, l'éclat, la couleur, la limpidité, la portée de chacun, et je dirais presque son *orient*, s'accusaient dans ses propos comme dans ses écrits, où il les assemblait et montait avec une efficacité et une valeur de position incomparables. J'ai gardé le souvenir de remarques qu'il en faisait et qui témoignaient de scrupules et de raffinements extrêmes. Il parla, un soir, des différences qu'il percevait entre les effets possibles des mots abstraits selon qu'ils se terminaient en *té* (comme *vérité*), en *tion* (comme *transition*) ou en *ment* (comme *entendement*). Il ne lui paraissait pas indifférent d'avoir observé ces nuances... (<i>Œ</i>, I, 686)

Une note des années 1897-1900 (souvenir noté ou prolongement d'une conversation ?) s'arrête sur la même question : « *Mot en* tion, *en* ment, *en* té, *en* ure, *en* eur ance ence esse ude. *Ces classes de mots contiennent des groupes dans lesquels les significations ont des caractéristiques communes — à cause de relations avec des verbes d'où ils proviennent ou qui en proviennent, ou bien aussi des adjectifs.* » (BN ms, f⁰ 149). Et Valéry détaille :

... tion en général — acte et produit de l'acte
... té   qualité substantifiée
          qualis — qualitas
          quantus — quantitas
... ment produit d'acte et aussi conception ou concept (BN ms, f⁰ 149)

Ce travail sur le lexique conduisait Mallarmé ailleurs et plus loin que Bréal : jusqu'à pouvoir saisir toutes les possibilités complexes de chaque mot, ou, pour parler comme Valéry, jusqu'à conduire chacun au plus haut *degré de symétrie*. Une telle analyse multipliait les affinités et élargissait la combinatoire. Mais Mallarmé songeait aussi à « *l'étude* formelle *du Langage* »[11] même si nulle Grammaire ne vint doubler *Les Mots anglais*. Sans en faire par écrit ni peut-être même verbalement la théorie, il la mettait en pratique. Valéry devait plus tard le définir comme l'homme qui par « *un dénombrement à la Descartes des possibilités du langage* » (*Œ*, I, 709) s'était voué à « *l'entreprise inouïe* [...] *d'en distinguer tous les moyens et d'en classer tous les ressorts.* » On situe mal la réflexion de Valéry sur le langage (simplifiée ensuite par trop de ses formules de conférencier) si on lui ôte ce substrat qu'est le modèle mallarméen. En ce sens, est fondamental l'essai de 1897 dont les éclats, comme ceux de la *Sémantique*, se découvrent çà et là dans les Cahiers. Valéry est alors ce lecteur qui devine une opération abstraite à l'œuvre dans la démarche d'écriture et qui veut la saisir dans un coup d'œil d'ensemble. Récepteur du discours mallarméen, il juge les procédés généraux plus importants que les poèmes et il s'attache à la nouveauté d'une architecture formelle où il voit une expérience historique sans précédent. « *Pour la première fois depuis qu'il y a littérature on a usé de la littérature* [...] *comme d'une chose* abstraite, *maniable en elle-même, indépendamment presque des choses signifiées, — au moins dans une première approximation.* » Dans cette entreprise plus vaste, plus générale qu'aucune autre, l'usage poétique du langage, qui en éclaire les possibles, transparaît à travers les textes au-delà des particularités ou du « sens » de chacun.

D'une façon bien plus complexe que celle évoquée dans la *Sémantique*, le langage apparaît ici aussi « *privé de l'accoutumance où il se cache ; forcé de parler de lui-même* » (*Sém.*, 1452). Valéry suggère que le premier travail fut de dissocier, de déjouer la prévision, de « *rendr*[e] *infructueuse l'expérience d'un liseur rapide* », de rompre « *les groupes endormis* [...] *des idées implicites* » (*Mal.*, 118) : bref d'annuler par un autre arbitraire la force de la relation établie entre mot ou syntagme et sens, et de les remettre en quelque sorte en liberté par un mouvement de nég-entropie. L'effet est de contraindre à regarder le texte comme tel, dans sa matérialité signifiante. C'est de mettre en lumière « *cette incontestable vérité : que tous les effets de la chose écrite partent de cette chose, qu'elle se compose de mots écrits sur le papier, de leur ordre et de leur disposition* » (f⁰ 21). Alors se découvrent des conditions générales régissant une suite abstraite.

L'exploration des possibilités combinatoires des mots, la découverte de leur haut degré de symétrie se double d'une démarche simplificatrice, analogue à celle de l'abstraction[12], ne conservant que l'élément minimal qui permet d'associer autrement. La valeur sémantique n'a pas ici plus d'importance que les catégories de mots (concret/abstrait, etc.), les temps des verbes, les marques grammaticales. Valéry résume le travail mallarméen en trois mots : *volonté, conscience, combinatoire*. En relâchant les liens logiques (dans une pratique inverse et complémentaire de celle du langage absolu), il multiplie les possibles car en fait « la logique est une propriété particulière des groupes de mots », et il en est de plus générales. Un jeu sur le double niveau, lexical et grammatical, de la langue élargit considérablement le champ de la création d'énoncés. La poésie rend les combinaisons de mots plus nombreuses, bien loin de les restreindre par ses contraintes. Affaiblissant le sens, elle enrichit les agencements structurels : « *La poésie est la possibilité de rapprocher les mots de plus en plus. Or elle conduit à envisager l'ensemble des combinaisons mathématiques possibles puisqu'elle réduit réellement la valeur du mot.* » (*Mal.*, ms, f⁰ 23 v⁰). Le degré de symétrie élevé se rencontre désormais au niveau du discours. Roman Jakobson a théorisé bien plus tard les notions de « *poésie de la grammaire et grammaire de la poésie* »[13]. Mais les éléments d'une théorie sont chez Valéry, qui note par exemple : « *Deux phrases différentes reviennent à la même et certaines phrases qui disent le même sont très différentes* » (f° 17). Constatant que Mallarmé « *a construit des types symétriques dans la langue* » (*Mal.*, 117), il affirme que l'important est moins la valeur propre des mots que leur suite abstraite, les successions, les positions relatives, les permutations, etc.

À travers l'œuvre de Mallarmé, Valéry saisit ainsi une *Poésie-Symétrie*, définition plus originale que celle, plus tardive et bien connue, de l'oscillation entre son et sens. « Extension des propriétés du langage », elle va plus loin que le discours commun, sans être radicalement autre. Elle aboutit à un objet verbal satisfaisant pleinement ce que Valéry appelle le « *sentiment de symétrie* » (*Self.*, 91) ou « *le plaisir combinatoire* » (*C*, XXIII, 722), et dont la réussite se marque par cette propriété (rare pour Valéry) de se mémoriser facilement. Si le discours poétique, déliant le langage des choses ou des idées des choses, permet un plus grand nombre de combinaisons, il peut avoir une autre « référence commune » que la réalité, et ce sera la structure même de l'esprit dont l'essence, selon Valéry (dès 1892, « Essai sur le mortel » (BN ms)) est de réaliser le maximum d'opérations. Il le dira clairement plus tard :

> On eût dit qu'il [*Mallarmé*] pressentait ce qui se découvrira quelque jour, et dont on voit déjà plus d'un présage : que les formes du discours sont des figures de relations et d'opérations qui, permettant de combiner ou d'associer les signes d'objets quelconques et de qualités hétérogènes, peuvent nous servir à nous conduire à la découverte de la structure de notre univers intellectuel. (*Œ*, I, 685-6)

Ce qu'a fait Mallarmé, c'est incarner la mécanique spirituelle dans un objet de langage, c'est édifier une architecture linguistique tout à la fois reflétant et pouvant mettre en acte[14] (chez un récepteur *capable*) le jeu formel de l'esprit. Et le langage ici, parce qu'il a une chair à la fois sémantique et phonique, va plus loin que l'algèbre ne peut aller.

Valéry, on le sait, se réfère à l'époque des premiers Cahiers comme à celle de ses principales intuitions. Ses différents travaux sur le langage sont plus importants qu'on ne le croit : travaux non certes de linguiste, mais plutôt de philosophe du langage, qui ne perd de vue ni la dimension psychologique de la communication, ni la matérialité de la langue. On peut y voir deux efforts apparemment distincts, mais plus convergents qu'il ne paraît. S'il part identiquement du mot (sous l'influence de Bréal, du Mallarmé des *Mots anglais*), c'est pour aller tantôt vers la logique et tantôt vers la symétrie : c'est-à-dire vers la cohérence, la forme, l'adéquation du langage à l'esprit. L'opposition Poésie/langage ordinaire, ou infini esthétique/communication-consommation ne rend pas compte de la complexité des analyses du début. À côté de la communication ordinaire, il y a le calcul de langage : celui de la poésie mallarméenne (objet idéal, limite), celui du langage absolu ou du Système, Dictionnaire idéal doublé d'une syntaxe, simplement approché, mais qui d'une autre façon pourrait lui aussi, comme Valéry le disait des mathématiques, « mouler l'esprit ».

1. Il devait être, ce qu'il n'est guère, un compte rendu de *La Machine à explorer le temps* de H. G. Wells.
2. Il l'écrit à Gide en février 1897 après avoir évoqué un entretien à propos de son « Mallarmé » : « *Cette entrevue très minutieuse m'a presque donné l'envie de finir par écrire et publier carrément* Le Système. » (*Corr. GV*, 286).

3. Cf. *C*, I, 585 : « *Le mot "arbre" correspond 1° à une image déterminée (1ᵉʳ ordre) — 2° à une notion déterminée (ou du 2ᵉ ordre) — 3° à des notions indéterminées.* »

4. CONDILLAC, *Essai sur l'origine des connaissances humaines* (Paris, Galilée, 1973), p. 162.

5. Après avoir évoqué ses travaux sur le langage, Valéry ajoute : « *D'autre part, j'écris rarement ou récris une phrase du début d'Agathe. C'est bien dur. Mais où il n'y a pas de gêne, il n'y a pas de plaisir à écrire.* » (*Corr. GV*, 370). Voir à ce sujet : Nicole CELEYRETTE-PIETRI, « *Agathe* » ou « *Le Manuscrit trouvé dans une cervelle* » de Valéry — *genèse et exégèse d'un conte de l'entendement* (Paris, Lettres Modernes, « Archives des lettres modernes » 195, 1981).

6. Michel FOUCAULT, *Les Mots et les choses* (Paris, Gallimard, 1966), p. 302.

7. « Dieu aime l'homme. » Une flèche sur le manuscrit suggère que l'interversion des mots ne change pas le sens dans la seule phrase anglaise.

8. Ce que dit Valéry dans sa sténographie personnelle, c'est qu'on perd en extension ce qu'on gagne en compréhension.

9. Cf. « Notes 1897-1900 », BN ms, f° 148 : « *Il se produit dans la langue la même chose que dans la vie pratique. On essaie, on utilise. Les pauvres vêtus de journaux — et ceci revient à rompre les associations et à en faire de nouvelles.* »

10. Il faut citer toute l'image : « *Imaginons que nous passons sur un vers, péniblement, percevant toutes ces différences par nos efforts exagérés, travaillant le long de ces contours comme un insecte sur une large feuille...* » (*Sém.*, 1455).

11. MALLARMÉ, *Les Mots anglais* in *Œuvres complètes* [Bibl. de la Pléiade, 1945], p. 903.

12. Cf. *Mal.*, BN ms (f° 23 *bis* v°) : « *L'abstraction consiste à négliger certaines parties d'un groupe.* »

13. Roman JAKOBSON, *Questions de poétique* (Paris, Seuil, 1973), pp. 219-33.

14. C'est cette mise en acte de l'esprit que Valéry analyse sur le cas élémentaire dans l'essai sur Mallarmé. Il suppose un individu déterminé avec, dans un certain ordre, tout le stock des mots et des associations : « *images, manières d'en changer, figures incrustées* » (*Mal.*, 120). « [...] *la phrase consiste à changer le certain* ordre *initial des idées que chacun des mots entraîne invariablement avec lui. La phrase a pour fonction de produire une sorte de changement de configuration dans un système donné* [...] *On dira, rigoureusement, qu'elle accomplit un travail sur l'esprit du sujet.* » (121). La Poésie/Symétrie oblige à effectuer des combinaisons neuves, elle est un art de penser.

6

VALÉRY LECTEUR DE LEIBNIZ
À TRAVERS COUTURAT

par Jürgen SCHMIDT-RADEFELDT

L'ARCHÉOLOGIE du savoir valéryen révèle les lectures dont s'est nourri Valéry de la fin du XIXᵉ au début du XXᵉ siècle. Ses ouvrages de prédilection traitaient des questions fondamentales de la philosophie et des sciences naturelles, de la logique et des sciences du langage. Dans le cheminement de sa pensée on reconnaît Aristote et Lulle, Descartes et Leibniz. Il n'est pourtant pas facile de retrouver dans l'œuvre de Valéry les traces de ces penseurs, bien que sa bibliothèque ait été partiellement conservée, permettant une reconstruction par la lecture. On y trouve des ouvrages, entre autres, de Henri Poincaré, Michel Bréal et Louis Couturat.

L'un de ces ouvrages souvent consultés est sans aucun doute *La Logique de Leibniz*[1] publié par Couturat en 1901. Cet ouvrage occupait une place d'honneur dans la bibliothèque de Valéry, il l'avait souvent feuilleté et recommandé à son fils aîné pour bien fonder ses idées épistémologiquement[1]. En effet, il y avait un essor nouveau des sciences en cette fin de siècle, une époque caractérisée, entre autres, par le fait qu'on posait la question des fondements des disciplines scientifiques ainsi que la question de leurs fondements théoriques et empiriques, voire « positivistes ». C'est du point de vue d'une *philosophie scientifique* que les disciplines universitaires peuvent être regroupées dans une seule pensée, qui se veut universaliste et humaniste au moment où la spécialisation professionnelle, d'autre part, augmente de plus en plus. Il est indéniable que la pensée valéryenne aurait pu contribuer à stimuler et libérer de leur emprisonnement doctrinal quelques idées des sciences modernes au début du XXᵉ siècle[2], — et l'intérêt actuel des chercheurs en est une preuve flagrante[3] —, de sorte que la reconstitution des sources de la pensée valéryenne s'intègre à l'histoire des sciences humaines et devrait être considérée comme une archéologie orientée vers la pensée contemporaine ; dans cet édifice de pensée, Gottfried Wilhelm Leibniz vu à travers Louis Couturat occupe une position privilégiée.

En effet, on retrouve chez Leibniz de nombreuses idées, reprises, assimilées, transformées, c'est-à-dire toujours poursuivies par Valéry dans ses œuvres, et avant tout dans les Cahiers. Leibniz et Valéry ont tous deux analysé la pensée symbolique et l'entendement humain dans son fonctionnement : Leibniz, de son côté, dans son *ars characteristica* avait proposé une doctrine et même une technique de l'emploi des signes dans les sciences formelles. On pourrait alors se demander ce qu'est la *characteristica universalis* et quels seront ses domaines d'application. Helmut Schnelle en donne une esquisse précise[4] : suivant Leibniz, toute pensée humaine peut être imaginée comme se déroulant au moyen de signes et caractères déterminés qui — sous forme d'abréviations — représentent des états de choses et représentations. Par *caractère* il faut entendre « le signe graphique, dessiné ou bien sculpté » (modelé) figurant une unité de pensée, la marque manifeste qui représente des pensées. La technique de l'emploi des signes consiste à former des caractères de telle sorte qu'ils représentent des pensées, respectivement les rapports et les interdépendances. Une expression est une mise en ordre linéaire par laquelle une chose à exprimer est représentée. La loi de l'expression est la suivante : Les idées de choses simples quelconques composent l'idée d'un état de choses à représenter, de même que les caractères de chaque chose doivent composer l'expression de l'état de choses. Ce qui a été dit ici sur le type particulier du signe graphique ou visuel, vaut également pour d'autres types de signes (dont la forme devrait être respectivement adaptée) dans d'autres textes de Leibniz. La *characteristica*, fondée sur l'*alphabet des pensées* et sur l'analyse de la pensée abstraite et symbolique, considère donc sous forme de principe le fait que toutes les idées complexes sont des combinaisons d'idées simples — à comparer avec la formation de nombres complexes. On compte parmi les opérations fondamentales la composition d'une notion — analogique à la multiplication en arithmétique — et la décomposition d'une notion en éléments simples (comparable à la division du nombre complexe entre dividende et diviseur). Puis Leibniz en vient à la conclusion que toute pensée n'est rien d'autre que la combinaison et la substitution de caractères.

Dans la mesure où Leibniz avait conçu cette *characteristica universalis* comme un genre « langue », dont les « mots » sont formés de l'ensemble fini de signes (caractères) d'après des règles de combinaisons déterminées, et que chaque signe « caractérise » la notion désignée par lui d'une manière claire et sans équivoque y compris tous ses rapports avec d'autres notions, il s'agit non pas d'une langue idéale en vue de la possibilité de l'application réelle, mais de l'analyse d'une langue conceptuelle ou plus précisément d'une langue de construction. Le but de Leibniz fut, en ce qui concerne cette réduction de toutes les combinaisons de signes et de toutes les propositions possibles à des signes simples, le *calculus ratiocinator*, et comme la « langue de l'arithmétique » représentait pour lui une caractéristique des notions arithmétiques, il a essayé d'appliquer cette *characteristica* également en logique. Louis Couturat (1901), quant à lui, avait justement essayé de mettre en évidence ces idées d'une logique et dans cette approche il avait trouvé un lecteur attentif en Valéry, exception faite de l'esquisse d'une langue artificielle, internationale, et universelle, que Couturat avait voulu également déduire de la *characteristica* leibnizienne et à laquelle Valéry ne portait aucun intérêt[5].

Mentionnons encore un autre aspect de la logique de Leibniz, — qui nous paraît aujourd'hui plutôt conçue comme une *sémiotique de l'esprit* ou bien de la pensée rationnelle —, qu'on retrouve également chez Valéry : Leibniz soutenait, comme on sait, l'idée que toute construction fondée sur la *characteristica* conduirait à une « langue » qui pourrait être considérée aussi bien comme l'expression adéquate de la pensée humaine (au sens de reconstruction ou modèle) que comme l'instrument de la raison ; même si les caractères (ou leur choix) étaient arbitraires, la combinaison des caractères entre eux et leur emploi ne pourraient cependant l'être en aucun cas. Le rapport entre les signes et les états de choses d'une part, tout comme le rapport entre les signes eux-mêmes exprimant des états de choses, ou autrement dit : le rapport de la référence signe-état de chose tout comme la combinatoire inhérente des signes du système est fondé sur des critères et conventions établis et déterminés. Couturat cite à cet effet Leibniz :

[...] si les signes sont arbitraires, les relations entre ces signes, qui expriment ou constituent les propositions, ne sont nullement arbitraires pour cela, et [...] elles sont vraies ou fausses, suivant qu'elles correspondent ou non aux relations des choses signifiées. Ainsi la vérité consiste dans la connexion des signes, en tant qu'elle répond à la connexion réelle et nécessaire des idées ou des objets, laquelle ne dépend pas de nous ; ou pour mieux dire, elle consiste dans cette similitude des relations des signes et des relations des choses, qui constitue une *analogie* au sens propre et mathématique du mot, c'est-à-dire une proposition ou égalité de rapports. Le choix des signes et la définition des mots peuvent donc être arbitraires, sans que la liaison des mots et des signes le soit, et c'est dans cette liaison seule que réside la vérité ou fausseté. (COUTURAT 1901 ; p. 104)

Vérité ou fausseté ne peuvent être attribuées qu'à des propositions complètes et elles ne résident pas dans les choses, mais dans notre pensée perceptive qui lie les deux ; vérité ou fausseté ne peut être déterminée grâce à un système de signes/notions, conventionnellement établi, *relatif à un fragment ou extrait de la réalité.* Leibniz souligne que l'utilité d'un signe et d'un système de signes pour l'acte de penser et de parler augmente dans la mesure où les signes expriment de manière simple et directe la notion de la chose désignée.

C'est avant tout par l'intermédiaire de *La Logique de Leibniz* de Couturat, que Valéry s'est instruit des idées du philosophe et mathématicien allemand. Cette réception est de portée fondamentale pour la pensée valéryenne, comparable à celle de Descartes, en ce qui concerne les théories des signes comme on les retrouve dans les Cahiers ; ces influences exigent depuis longtemps une analyse intégrale et beaucoup plus détaillée que nous ne pouvons présenter ici. Le but de notre modeste contribution ne peut être qu'une première approche de quelques idées et points communs à ces deux penseurs[7].

Voyons d'abord quelles affinités générales entre Leibniz et Valéry pourraient être mises en évidence et dans quelle mesure les deux penseurs ont développé d'autres approches et conceptions comparables : Valéry et Leibniz connaissaient tous deux l'*ars magna (ars generalis)* de Raimond Lulle qui proposa de saisir les vérités d'un domaine scientifique particulier, au moyen des syllogismes aristotéliciens, dans la mesure où l'on énumère les jugements possibles au moyen de l'ensemble de toutes les combinaisons possibles des prédicats fondamentaux en ce domaine. En plus de cette analyse combinatoire conçue plutôt d'un point de vue mécanique, les *quaestiones* de Lulle ont retrouvé un intérêt méthodique aussi bien chez Leibniz que chez Valéry. En effet, dans la lignée d'Aristote — Lulle introduisit dans son tableau de catégories *Ultrum ? Quid ? Quare ? Quomodo ? Ex quo ? Quantum ? Quale ? Ubi ? Quando ?* — Valéry avait repris ces questions sous le nom de « Questionnaire » et il a accordé à la question comme procédé méthodique une place primordiale dans sa recherche de la pensée rationnelle ainsi que dans son application. En outre, Leibniz et Valéry sont à rapprocher par le côté *universel* de leur recherche sur l'analyse de la raison humaine et de son fonctionnement ; tous deux s'intéressent au mécanisme de la pensée notionnelle, qui se manifeste de manière différente dans des domaines et disciplines scientifiques différents, mais elle peut pourtant s'intégrer dans une conception intégrale de l'*Homme en tant que Système* doué d'une pensée rationnelle et d'une langue, différant très peu, dans maints aspects, d'une machine : comme le dit Leibniz, toutes les sciences rationnelles devraient « symboliser » entre elles (COUTURAT 1901, p. 116). Leibniz et Valéry considèrent les mathématiques, la géométrie et leurs systèmes de notations symboliques comme des moyens utiles pour *re-connaître* l'expression ou la manifestation cérébrale, — que ce soit un acte de création ou de reproduction. Tous deux partent alors du caractère significatif de la pensée, ils considèrent également le caractère instrumental de ce système de signes comme étant avantageux et utile, — par exemple la possibilité d'abréger sous forme de signes, la disponibilité, la maniabilité, la correspondance adéquate d'un signe à une notion simple, l'isomorphie des signes —, mais aussi comme scabreux voire manipulateur, — par exemple l'emploi isolé de signes notionnels prenant alors la fonction de slogans et véhicules d'idéologie. Tous deux sont à la recherche d'un système de signes fonctionnel et adéquat et de l'emploi bénéfique de la pensée mathématique pour d'autres domaines de la vie et de la connaissance, d'une caractéristique universelle de la pensée humaine, ainsi que d'une *analysis situs* respectivement d'une *characteristica geometrica* que Leibniz abandonna comme on sait à cause d'une critique de Huyghens, et qui restait à l'état de projet dans les premiers Cahiers de Paul Valéry au début du siècle.

Tous deux sont finalement convaincus qu'une « vraye philosophie » représenterait la condition nécessaire à une *characteristica* de même qu'à une encyclopédie, la définition des notions fondamentales étant d'importance essentielle : la tentative permanente et acharnée de définir et de redéfinir les mots ou concepts employés est omniprésente dans l'œuvre des deux penseurs. « Il est vray, écrit Leibniz dans une lettre adressée à Burnet (le 24 août 1697), que ces Caractères présupposeraient la véritable philosophie, et ce n'est que présentement que j'oserais entreprendre de les fabriquer. » Les différents plans et essais de l'*Encyclopédie* montrent bien les raisons pour lesquelles ce projet ambitieux n'a pu être achevé. Dans un cadre plus modeste, et abstraction faite du rayonnement et de la répercussion dans le public des idées de Leibniz, y compris l'intérêt de recherche différent, les Cahiers de Valéry peuvent être également considérés comme l'ébauche de la conception théorique d'un *Système*[8], qui implique la nécessité de la définition exacte des termes et des notions simples (primitifs) et fondamentales.

En plus des affinités mentionnées ci-dessus on retrouve chez Valéry certaines métaphores ou analogies reprises de l'œuvre de Leibniz, probablement à travers Couturat. Valéry les a réélaborées en idées propres : c'est d'abord le personnage symbolique de *l'ange*, doué de qualités et caractéristiques surhumaines, devenant une entité polyvalente et abstraite, qui se rapporte à la *characteristica* de Leibniz. Après avoir cité un passage de la correspondance de Leibniz concernant l'ange, Couturat écrit : « *Sa portée est égale à celle de la raison, et son domaine comprend toutes les vérités rationnelles* a priori : *tout ce qu'une raison "angélique" peut découvrir et démontrer est accessible au Calcul logique.* » (Couturat, 1901, p. 100). On doit également mentionner l'opposition entre la perspective vue de l'objectif du télescope et celle vue de l'objectif du microscope ; cette comparaison réapparaît chez Valéry maintes fois (« *le Calcul logique prolonge la portée de l'œil de l'esprit* » (Couturat 1901, p. 101)) tout comme « *la boussole, qui permet au marin de s'aventurer au large, et d'effectuer de longues traversées sans risquer de s'égarer ou d'allonger sa route par des détours inutiles* ». En effet, on doit bien savoir calculer les *rhumbs*, et Valéry a repris cette analogie plusieurs fois dans sa pensée.

Valéry s'autorise même une critique envers Leibniz (comme il l'a fait d'autres philosophes à juste raison) concernant la comparaison avec le moulin (cf. *Monadologie* §17). C'est au moyen d'un regard jeté à l'intérieur d'un moulin, que Leibniz voulut mettre en évidence que la perception ou l'expérience ne s'explique pas par des raisons purement mécaniques. Valéry reprend cette image et la développe (*C*, XXIII, 549 et 679-680) ; selon lui, un moulin ne doit être observé qu'en marche, le moulin-cerveau en activité ou en fonctionnement ; en outre le courant (air ou eau) doit être considéré comme les forces ou énergies de la mouture. Il faut surtout tenir compte *du point de vue de l'observateur*[9] et il faut également différencier la perception visuelle de la matière et du mouvement dans leur rapport mutuel — pour aboutir finalement à une représentation symbolique et formelle de tous ces phénomènes, c'est-à-dire à une modélisation de ces phénomènes dans leur fonctionnement. Valéry, en revanche résume son but de recherche comme suit :

Trouver le système de conditions, de références constantes ou toujours reconstituables, et d'actes qui permette de représenter dans un langage minimum, homogène et propre au raisonnement — les phénomènes, *en tenant compte de l'observateur* — (lequel introduit l'échelle etc., et toutes les conditions capitales sans la désignation exacte desquelles le mot « phénomènes » et toute vue de chose ne signifient rien).   (*C*, VIII, 634)

Dans cette approche d'une combinatoire générale de la perception, reconnaissance et pensée, Valéry apparaît comme le continuateur de la tradition d'Aristote, de Descartes et de Leibniz, mais d'après lui, ces penseurs n'ont pas dépassé les bornes d'une simple classification formulée en langage commun au moyen de définitions quelque peu arbitraires. D'après lui, le rôle ou le statut de celui qui observe et qui décrit a été complètement négligé.

En ce qui concerne l'attitude envers la langue naturelle[10], Leibniz et Valéry se trouvent en accord sur deux faits essentiels :

1) *les langues sont imparfaites.* Pour Leibniz cette imperfection réside dans l'usage, et il distingue un double usage des mots : l'un est l'usage qu'en fait la pensée d'un individu quand celui-ci parle à soi-même (« *il est indifférent quels mots on employe, pourvu qu'on se souvienne de leur sens, et ne le change point.* » (LEIBNIZ, *Nouveaux Essais*, Livre III, chap. 9)) — et l'autre usage est celui de « *communiquer nos pensées aux autres par le moyen des paroles* ». Cet usage de la communication se manifeste sous deux aspects, *civil* (dans la conversation et usage de la vie civile) et *philosophique* (qui se fonde

sur des notions précises et sert à exprimer des vérités certaines en propositions générales). Valéry reprit ces idées, soit dans la recherche d'un *langage-self*, soit dans ses réflexions sur les langues de spécialité, et il a même désigné quelques lacunes de la langue française.

2) *les hommes abusent des mots*. Pour Leibniz, les mots doivent représenter des idées claires, déterminées, certaines ; ils doivent désigner des choses définies, et l'usage devrait éviter toute obscurité affectée ou signification inusitées. Parmi les sept abus des mots que Leibniz énumère, ce sont le quatrième et le cinquième abus que Valéry souligne également tout au long de ses Cahiers : « *qu'on prend les mots pour des choses* » et qu'on met « *les mots à la place des choses qu'ils ne signifient, ni ne peuvent signifier en aucune manière* ». (LEIBNIZ, *Nouveaux Essais*, Livre III, chap. 10)[11].

Reprenons finalement un terme tel que *psittacisme*, employé par Leibniz dans ses *Meditationes de cognitione veritate et ideis* (1684) et dans les *Nouveaux Essais sur l'entendement humain* (1703-1705)[12], que Valéry reprit dans son dialogue « L'Idée fixe », où l'Autre — c'est-à-dire l'une des formes multiples de l'expression du moi valéryen — dit qu'il jouait le Robinson en descendant ces « oiseaux » du ciel, du « ciel de l'esprit », avec son arc et ses flèches fabriqués par lui-même. Ces oiseaux, précisément des perroquets, ont des noms tels que *Esprit, Univers* (= *psittacus psittacorum*) ou *Nature* (= une *perruche*). La question sceptique du docteur « Et je vois un perroquet dans mon microscope ? » est confirmée par l'Autre qui avait l'habitude de placer tous ces « oiseaux » curieux sous le microscope de la raison critique. Bien que le danger du « mécanisme verbal et symbolique » ou l'emploi des signes linguistiques, sémantiquement flous et indéterminés, ne se présente pas dans le domaine de la combinatoire formelle de Leibniz, chez Valéry, au contraire ce péril se présente d'autant plus dans le domaine mental employant le langage commun, c'est-à-dire quand on « pense » ces notions abstraites et isolées de tout contexte. Cette observation est un point important de la critique valéryenne envers la philosophie traditionnelle, partant souvent des concepts idéologiques isolés et faisant du langage un emploi abusif, déréglé et déraisonnable. Il s'ensuit que Valéry eut une attitude critique et ambivalente envers la langue naturelle et sa représentation en termes logiques parce que les deux systèmes ou moyens de représentation et d'expression lui paraissaient insuffisants et inappropriés pour représenter de manière adéquate et exhaustive la pensée d'un homme, ses opérations syntaxiques et sémantiques ainsi que la diversité des associations et des implications ou même des sensations.

On pourrait se demander alors ce que Valéry entendait par la logique. Dans les Cahiers, on trouve maintes tentatives de définitions qui néanmoins restent identiques et constantes dans leur sens fondamental au début du siècle (1900-1901). Il remarque en confrontant la logique et la langue naturelle : « *La logique est un moyen grossier de corriger un instrument grossier (qui est le langage).* » (*C,* II, 283). En effet, le rapprochement entre ces deux systèmes de représentation symbolique peut être effectué pour en mesurer l'utilité ou le rendement mutuel — mais cela ne peut pas être leur fin unique, ajoutons-nous. La critique de Valéry face à la logique de son époque est encore actuelle en grande partie quant à la grossièreté et l'inflexibilité des théories logiques en général. D'après lui, la langue naturelle n'est pas forcément « logique », car sa part psychologique est fortement marquée d'individualité, et il formule ainsi sa position : « *Je place ma logique non dans le langage donné mais naturellement dans les langages plus intérieurs, dans les espèces psychiques, — non dans les concepts mais dans les états, les phases, les coordinations.* » (III, 785). Il va sans dire que, dans ce domaine, une logique traditionnelle ne pouvait et ne voulait en aucun cas le suivre, que ce soit à son époque ou aujourd'hui. Néanmoins Valéry estimait la logique, reconnaissait sa valeur indéniable pour la précision et la morale de la pensée, pour déduire, induire, démontrer, inférer ou conclure d'une manière exacte dans l'argumentation, sans jamais oublier ou perdre de vue sa restriction voulue aux opérations formellement définies. C'est ainsi qu'il note en 1904 que la logique ne s'occupe que d'un langage idéal et de la perfection de ce langage, ou bien trois ans plus tard : « *Les principes logiques sont des restrictions imposées au jeu complet du langage.* » (IV, 353), ou encore plus tard : « *La logique est le jeu de combiner des propositions en d'autres suivant des règles indépendantes de leur sens et qui ne tiennent qu'à la forme : proposition.* » (VI, 330). En effet, on trouve également de telles définitions se rapportant de loin à Leibniz (à travers COUTURAT 1901) et qui le poursuivent dans sa pensée : « *La logique est le code/la codification/l'énumération/la description de toutes les transformations de la connaissance* que l'on peut concevoir effectuées par des machines (qui conservent les définitions).* » (*C*, IX, 798). Elle est définie aussi comme « *Science des propriétés combinatoires d'un système de notations — la base de laquelle est la conservation des relations de notation.* » (XVII, 576). Le procédé de la logique est toujours formel, donc les significations sont formellement définies et ne sont pas touchées par les opérations employées. Par l'intermédiaire de ces quelques définitions il s'avère évident que Valéry ne saisit pas seulement les caractéristiques essentielles des systèmes formels, mais qu'il parvient aussi à une critique de la logique classique des prédicats de son époque. Un reproche parmi d'autres que Valéry fait à la logique de son temps est qu'elle ne considère en aucune manière le sujet parlant avec ses coordonnées singulières : « *La*

logique donne des règles de jeu mais non l'analyse du joueur.
Elle ne considère pas assez les valeurs *de combinaisons* [...] »
(XII, 852). Il lui paraît que cette « *science des combinaisons de*
signes » doit en tout cas définir le signe simple et composé, et
en plus, les valeurs les plus variées de leurs combinaisons
ainsi que le rapport *in actu* avec celui qui emploie le système
de signes (comme par exemple le système linguistique, gestuel,
etc.) : il s'ensuit que sa « logique » se différencie peu d'une
conception sémiotique contemporaine.

Pour revenir une dernière fois aux idées de Leibniz : dans
sa combinatoire il avait pour but de trouver tous les prédicats
logiquement possibles pour un sujet donné, de concevoir tous
les sujets possibles pour un prédicat donné, le terme complexe
étant divisé en termes simples, analogue à la division d'un
nombre simple > 1 (COUTURAT 1901, pp. 41-7). Valéry, pour sa
part, a repris cette pensée leibnizienne également dans maintes
notes et réflexions, et il a essayé de la concrétiser à l'aide
d'exemples de la langue naturelle. Cette problématique lui
parut d'une signification primordiale en de nombreuses pers-
pectives, c'est-à-dire en vue de la reconnaissance des principes
fondamentaux et des axiomes de la pensée et de la langue.
Comme il cherchait d'autres raisons (psychologiques aussi)
pour la différence entre la logique et langue (par exemple la
fonction différente de la *négation* en logique et dans l'emploi
de la langue naturelle)[13] et comme il ne se contentait pas seulement d'une confrontation de systèmes de signes « artificiels »
et « naturels », ainsi se heurtait-il en particulier aux *diverses*
fonctions de la copule qu'il concevait avant tout comme opérateur. En ce qui concerne la relation entre sujet et prédicat
(attribut) la copule peut exprimer, selon lui, la fonction de
simultanéité ou de dépendance, d'appartenance ou autre, le
sens de la copule ne pouvant être conçu qu'à partir du sens
de ses deux termes et, autant que possible, de leurs implica-

tions sémantiques. Dans une proposition telle que *le ciel est bleu* la copule remplit en quelque sorte la fonction d'attribuer au substantif *ciel* (le complexe, composé) le qualificatif *bleu* (le simple) ; *bleu* est un attribut de couleur possible (et impossible) comme tant d'autres, *bleu* exclut *non-bleu* et inclut *bleu clair*, *voûte* d'autre part exclut *carré* et *menteur*, et ainsi de suite[14]. On peut rassembler de telles relations sous forme de tableau logique, poursuit Valéry, en tenant compte des conditions sémantiques-logiques de l'identité, de la contradiction, de la négation et de l'implication. La polyvalence de la copule serait seulement mise en évidence par une analyse des substantifs et des attributs et de leurs implications, et ceci en tenant compte de celui qui parle et de celui qui écoute, tous deux comme positions sous-entendues. Mais Valéry ne voit pas seulement la nécessité d'élargir l'analyse logique et linguistique par des facteurs supplémentaires dans la perspective de sa théorie de l'action complète du point de vue cognitif et communicatif, mais en même temps il remet lui-même en question les principes de base, en définissant et reprenant toujours les notions descriptives employées, en les adoptant à ses approches théoriques et épistémologiques. Cela est encore évident lorsqu'il remet en question les notions de « sujet » et de « prédicat » et quand il souligne que « complexité » et « simplicité » ne sont que des qualités relatives de choses et des états de choses.

C'est justement cette perspective de la relativité du point de vue de laquelle dépend toute analyse, tout emploi d'un système de signes (soit logique, soit sémiotique) que Valéry a voulu soutenir face aux philosophes tels que Leibniz ou Descartes. Valéry n'a cependant renoncé ni à la recherche analytique des principes de la logique et sémiotique de la pensée humaine, ni à l'idée de construire une langue pour préciser l'emploi du langage et dans cette tentative il cherchait ses

« caractères ». En cela l'ouvrage de Louis Couturat sur *La Logique de Leibniz* a largement contribué, entre autres, à préciser sa propre pensée au début du siècle.

1. Cf. J. ROBINSON (1963), pp. 29 et 35 sqq., CELEYRETTE-PIETRI (1979), pp. 17-24.

2. Ce qui est souligné par H. Schnelle (1979).

3. Voir à cet égard les actes du colloque de Montpellier (ROBINSON, *éd.*, 1983) qui met en évidence le côté des sciences naturelles (biologie, médecine, mathématiques, physique et épistémologie) chez Paul Valéry.

4. Cité d'après SCHNELLE (1962) ; pour les références précises voir SCHMIDT-RADEFELDT (1985).

5. Cf. Louis COUTURAT, *Pour la langue internationale* (Coulommiers, P. Brodard, 1901), ainsi que L. COUTURAT, L. LEAU, *Histoire de la langue universelle* (Paris, 1903). — Peut-être Valéry avait-il connaissance de l'étude *De l'infini mathématique* par Couturat (Paris, 1896) pour choisir un titre tel que *L'Infini esthétique* ?

6. Ce n'est que récemment que l'aspect sémiotique dans l'œuvre leibnizienne a été souligné, voir DASCAL (1978) et BURKHART (1980). La position de Valéry en ceci reste encore à préciser.

7. Par ailleurs, les deux penseurs n'ont pas seulement les grandes lignes de pensée en commun, mais aussi des points particuliers : tous deux ont suivi des études de droit, tous deux ont été profondément marqués dans leur jeunesse par l'exactitude de la pensée formelle (Leibniz par la logique — voir CASSIRER 1902, p. 487 — et Valéry par les mathématiques), tous deux ont écrit des poèmes, ce qui est moins connu de Leibniz (poésie épigrammatique et politique, hommages : dans un poème adressé à Louis XIV il lui conseille de conserver « la gloire de la paix » plutôt que de continuer les guerres [voir Leibniz, 1847]), et tous deux, propageant la civilisation mondiale, éprouvent un respect profond pour la culture chinoise. Leibniz écrit une *praefatio* à la *Novissima Sinica* (1697) et Valéry d'autre part écrit une préface intitulée « Orient et Occident » au livre d'un Chinois (CHEN TSCHENG, *Vers l'unité, I, Ma mère* [Paris, 1928] ; *Œ*, II, 1028-35). La masse de manuscrits laissée à la Bibliothèque de Hanovre (Leibniz) et à la Bibliothèque Nationale (Valéry) est immense.

8. L'idée du *système* a fait fortune ; voir avant tout CASSIRER (1902), et bien que Valéry n'ait pas lu ce livre, on y redécouvre nombre de sujets discutés tout au long des Cahiers (p. ex. le problème du point, de la continuité, de la divisibilité à l'infini, des questions juridiques et sociales, la découverte de la logique, les analogies avec la machine). Voir à cet égard LAURENTI, *éd.* (1979), CELEYRETTE-PIETRI (1979), pp. 92-109, SCHMIDT-RADEFELDT (1982).

9. Pour la philosophie du « point de vue » chez Leibniz voir R. Böhle, *Der Begriff des Individuums bei Leibniz* (Meisenheim a.Glan, 1978), pp. 90-7, et chez Valéry voir Schmidt-Radefeldt (1974).

10. Une vue d'ensemble des idées leibniziennes sur la langue/le langage (problèmes diachroniques et d'origine de la langue, comparaison de langues, étymologie et morphologie) est présentée par S. von der Schulenburg, *Leibniz als Sprachforscher* (Frankfurt/M, 1973).

11. Ces aspects chez Valéry sont élaborés dans Schmidt-Radefeldt (1970), pp. 66-76.

12. Leibniz en donne des concepts tels que *honneur, foi, grâce, religion* et *église*, et il appelle cet emploi de mots mal/non-définis « psittacisme *ou des images grossières et vaines à la Mahometane* » (*Nouveaux essais, op. cit.,* p. 190).

13. Voir *C*, XVIII, 437, ou bien Schmidt-Radefeldt (1985).

14. Voir à cet égard Schmidt-Radefeldt (1970 et 1977). La combinatoire sémantique de la proposition, la forme syllogistique dans la pensée rationnelle chez Leibniz (cf. Burkhart 1908, pp. 23-82) et dans les Cahiers de Valéry demandent une étude plus approfondie.

BIBLIOGRAPHIE

Burkhart, Hans (1980) : *Logik und Semiotik in der Philosophie von Leibniz*. München : Philosophia Verlag.

Cassirer, Ernst (1902) : *Leibniz' System in seinen wissenschaftlichen Grundlagen*. Réimprimé par Wissenschaftliche Buchgesellschaft, Darmstadt 1962.

Celeyrette-Pietri, Nicole (1979) : *Valéry et le Moi. Des « Cahiers » à l'œuvre*. Paris : Klincksieck.

Couturat, Louis (1901) : *La Logique de Leibniz. D'après des documents inédits*. Paris : Alcan ; réimprimé par G. Olms, Hildesheim 1961.

Dascal, Marcelo (1978) : *La Sémiologie de Leibniz*. Paris : Aubier Montaigne.

Laurenti, Huguette (*éd.*) 1979 : *Paul Valéry — approche du « système »*. Paris : Lettres Modernes.

Leibniz, G.W. (1847) : *Geschichtliche Aufsätze und Gedichte*, in G.W. Leibniz, *Gesammelte Werke*, édité par G.H. Pertz, (Hannover, 1847) ; réimprimé par G. Olms (Hildesheim 1966). (Poèmes, pp. 265-384.)

LEIBNIZ, G.W. : *Nouveaux Essais sur l'entendement humain*, in G.W. LEIBNIZ, *Sämtliche Schriften und Briefe*, édité par Deutschen Akademie der Wissenschaften zu Berlin, Akademie Verlag 1962, vol. 6, pp. 39-528.

LEIBNIZ, G.W. : *Monadologie*, in G.W. LEIBNIZ, *Die philosophischen Schriften*, édité par G.J. Gerhardt, Berlin (1885) ; vol. 6 ; Hildesheim 1965, pp. 607-623.

ROBINSON, Judith (1963) : *L'Analyse de l'esprit dans les « Cahiers » de Valéry*, Paris : Corti.

ROBINSON, Judith (*éd.* 1983) : *Fonctions de l'esprit. 13 savants redécouvrent Paul Valéry*. Paris : Hermann.

SCHMIDT-RADEFELDT, J. (1970) : *Paul Valéry linguiste dans les « Cahiers »*. Paris : Klincksieck.

SCHMIDT-RADEFELDT, J. (1970) : « La Théorie du point-de-vue chez Paul Valéry », pp. 237-49 in *Paul Valéry contemporain*, *éd.* Monique Parent et Jean Levaillant, Paris : Klincksieck.

SCHMIDT-RADEFELDT, J. (1977) : « Valéry et les sciences du langage », *Poétique* 31, 1977, pp. 368-85.

SCHMIDT-RADEFELDT, J. (1979) : « Intuition et inspiration, analogie et métaphore, pp. 169-90 in *Poétique et Communication : Paul Valéry*, Colloque international de Kiel 19-21 octobre 1977, éd. par K.A. Blüher et J. Schmidt-Radefeldt (Cahiers du 20e siècle), Paris : Klincksieck.

SCHMIDT-RADEFELDT, J. (1982) : « "Kybernetische Denkansätze" bei Paul Valéry », *Poetica* 14, 1982, pp. 134-70.

SCHMIDT-RADEFELDT, J. (1984) : « Sémiologie et langage(s) », *Œuvres et critiques* IX, 1, éd. par K.A. Blüher, Tübingen : Narr Verlag, pp. 134-70.

SCHMIDT-RADEFELDT, J. (1985) : « Zu logischen und sprachphilosophischen Grundlagen von Paul Valéry : G.W. Leibniz », in *Nach-Chomskysche Linguistik*, *éd.* Th. T. Ballmer / R. Posner, Berlin : De Gruyter.

SCHNELLE, H. (1962) : *Zeichensysteme zur wissenschaftlichen Darstellung. Ein Beitrag zur Entfaltung der "Ars characteristica" im Sinne G.W. Leibniz*, Stuttgart : Frommann.

SCHNELLE, H. (1979) : « Paul Valéry : Philosophie des Geistes, der Sprache und der Dichtung », *Poetica* 11, 1979, pp. 1-37.

PAUL VALÉRY
Essai sur Stéphane Mallarmé
(fragments)

Le lecteur trouvera aux pages qui suivent la transcription partielle de
l'« Essai sur Mallarmé » du volume « Mallarmé I », Valéry 13 au
Département des Manuscrits de la Bibliothèque Nationale à Paris.

Écrit sur du papier du Ministère de la Guerre (f° 43, minute datée
de mai 1897) cet essai, auquel Valéry a travaillé quelques temps
assidûment, semble avoir été abandonné après la mort de Mallarmé.
On y trouve plusieurs copies calligraphiques répétitives, avec variantes,
de ce qui devait être le début de l'essai.

reproduit avec la gracieuse autorisation de
Madame Agathe Rouart-Valéry

[...] Je fus frappé du caractère expérimental de cette œuvre c'est-à-dire du caractère volontaire et du caractère combinatoire. [...]

M. Mallarmé est un homme qui a fait une expérience. Son œuvre a un caractère historique frappant. Pour la première fois depuis qu'il y a littérature, on a usé de la littérature au point de vue psychologique comme d'une chose abstraite, maniable en elle-même, indépendamment presque des choses signifiées, — au moins dans une première approximation. Mais il y a mélange — l'auteur a eu des scrupules — Il s'est résolu peu à peu à n'employer aucune des formes connues. Il a construit des types symétriques dans la langue, il a d'autre part, conduit par l'antique instinct poétique, posé en principe que les combinaisons de n'importe quel mot étaient possibles.

Pour faire saisir la possibilité de cette ———— je ferai une série de suggestions, courtes, juxtaposées.

Limites. Toute la littérature est contenue dans les combinaisons de mots. Tâcher d'en voir le plus possible, d'épuiser le possible, d'où expérience. [...]

Peu à peu, cette œuvre et mon esprit se rapprochant, je vis entre les lignes autre chose qu'un effort particulier de la littérature « chronique ». A mesure que je la connaissais plus, et que je m'étendais jusqu'à ses pages les plus récentes, je m'avisais d'une trace générale à travers la suite des poèmes. Je veux dire qu'en passant d'une pièce à une autre, tout changeait, tout recommençait, — sauf quelque chose, dont l'existence à part, et le développement me retinrent. Il y avait partout les signes d'une recherche continuelle et les restes de tentatives toutes nouvelles ; indices qui, lentement, ont fait se déplacer dans mon esprit la notion de l'ouvrage, jusqu'à ce que je le goûte très différemment. Par-dessus tout brillait une volonté. J'appelai, de ce nom quelconque, les sensations que me donnait la marche d'un langage qui évitait à chaque instant mes prévisions ; qui s'interdisait de prendre des habitudes, qui rompait régulièrement les groupes endormis, endurcis, des idées implicites ; qui rendait infructueuse l'expérience d'un liseur rapide.

J'ai senti cette action incessante d'une recherche non écrite se séparer en moi d'avec ce que les pages me disaient directement. Une certaine indépendance, excitant l'analyse, me parut exister entre les paroles écrites et cette sorte de volonté ou série de procédés ; et ces procédés me semblèrent plus généraux, plus importants, que les œuvres mêmes, justement parce qu'ils résultaient d'une opération abstraite que j'avais graduellement fait subir au texte. Ils pouvaient se transporter, s'appliquer à tous les sujets compatibles avec le langage, tandis que chacun des sujets et chacun des poèmes demeurait une chose parfaitement particulière.

L'exposé de ces impressions ne pourrait se poursuivre sans devenir de plus en plus indistinct ; mais je ne veux pas entrer dans le vague. Je veux rester dans un petit anneau d'idées dures et précises. Je vais donc brièvement poser une certaine conception de la littérature. Par rapport à cette figure, je pourrai définir, situer, atteindre ce que je songe à dire.

* * *

Il est incroyable que les postulats de la littérature et que la théorie des moyens du langage soient moins connus que la nutrition des plantes et que la composition chimique des étoiles. Ce vide montre bien l'impuissance de la psychologie actuelle, et la pauvreté de ses méthodes. Personne n'a suivi les anciens qui avaient aperçu une science de la parole : ils nous ont laissé sur ce point deux travaux de valeur très différente, auxquels nous n'avons rien à comparer. Nous n'avons guère ajouté à la Logique formelle, et nous n'avons pas approfondi la Rhétorique, tentative aussi remarquable et aussi grossière qu'ils ont pu la concevoir. L'énumération avec patience des figures et des formes du langage nous est devenue insupportable. La syllepse, la litote, nous ont paru d'ennuyeuses plantes d'herbier. En réalité, rien n'était plus empirique, ni plus louable puisque l'esprit qui dessine tout cela et le transporte était encore moins bien pénétré que maintenant.

Voilà ce qui me force à faire des hypothèses.

Je prends la littérature pour une extension des propriétés du langage.

Le langage communique l'homme à l'homme, et l'homme à lui-même. Qu'il faille inventer quelque chose pour correspondre avec une race bien différente, — avec les Martiens, — et le problème s'élève. Il faut d'abord trouver une commune mesure, une référence unanime, un objet qui résiste aussi à notre propre pensée incessante. C'est un tel objet que nous nommons réalité : je montrerai que le langage n'a d'existence que par son rapport régulier avec la réalité.

Le langage est fait de groupes de mots en mouvement. Quelles que soient les opinions qu'on adopte sur son origine, sa formation et son mécanisme, les propositions suivantes me paraissent en être indépendantes :

L'action de l'individu sur le mot est nulle. Le dictionnaire nous est donné. Le mot physique, nous venant comme tant d'autres sensations, constitue une sensation singulière qui est distinguée du reste des sons ou des figures, instantanément, dans la pensée. Je pense que sa propriété est de conserver à l'esprit une relation invariable entre certains phénomènes : toutes les fois qu'il se représente à notre connaissance, certains phénomènes se représentent. <u>On le pense sans l'altérer</u>. C'est peut-être le seul objet de pensée qui soit indépendant de la variation que la pensée est. Il faut compter aussi que nous pouvons le produire physiquement toutes les fois que nous voulons, toutes les fois que nous le pensons.

Je vais ajouter une hypothèse à une hypothèse. Je dirai que la propriété précédente existe parce que l'accouplement d'un son avec une idée, qui font un mot, est parfaitement arbitraire, dans le cas le plus général. Si nous pouvions apercevoir une liaison rationnelle entre ces deux membres, nous serions obligés de concevoir une variation du son correspondante à <u>toute</u> variation de l'idée. Mais le mot disparaît si le son change. Evitant une sorte d'équation absurde entre une chose variable et une constante, nous devons penser que la relation de la forme extérieure d'un mot avec son corrélatif mental est conventionnelle, non moins qu'indépendante de l'esprit qui s'en sert. Cette « convention » isole les mots en tant que sensations, de toutes les autres sensations.

Regardons alors à travers un individu déterminé : et par l'entendement, éclairons quelque esprit dans le nôtre. Nous supposerons simplement que tout ce dont est capable cet esprit, toute sa définition, images, manières d'en changer, figures incrustées, sont dans un certain <u>ordre</u>, indifférent en lui-même. (Cette supposition peut se réduire à rappeler au lecteur des faits bien connus tels que l'antique association des idées, les suites de souvenirs à partir d'un événement réveillé, etc.) Il s'ensuit que les mots définis comme nous venons de le faire sont eux-mêmes liés à des portions diversement <u>situées</u> de l'esprit que nous regardons.

Si nous proposons, maintenant, à cet esprit particulier, une phrase, nous saurons, avant tout, qu'elle forme avec lui un <u>système</u>. Tous les mots de la phrase étant <u>connus</u> du lecteur, c'est-à-dire liés d'avance à certaines propriétés de ce lecteur, l'existence de la phrase consiste à changer le certain ordre initial des idées que chacun des mots entraîne invariablement avec lui. La phrase a pour fonction de produire une sorte de changement de configuration dans un système donné et nécessairement préexistant. On dira, rigoureusement, qu'elle accomplit un travail sur l'esprit du sujet.

Il faut remarquer que le système que nous avons envisagé était incomplet. Le changement d'état qu'il subit par la simple intervention d'une phrase, peut s'étendre au système complet de tout l'esprit, puisque chacun des éléments psychologiques intéressés peut toujours être relié à tout autre élément de l'ensemble de l'esprit. Mais il me suffit d'élucider le mécanisme fondamental.

Pour poursuivre l'analyse de la phrase, il faut la considérer comme une fonction du temps. Dans tous les langages possibles, il existe une relation entre la variation du temps et la variation de la pensée le long d'une phrase. Il suffit pour se démontrer cette proposition d'imaginer une phrase aussi longue qu'il sera nécessaire. Le lecteur d'une phrase à mesure qu'il s'avance dans sa lecture transforme les événements verbaux en événements psychologiques. Il en fait des images, des idées, d'autres phrases ; j'ai précisé plus haut les conditions de cette transformation. Mais pour qu'elle s'opère, il faut que les termes du discours dont on prend connaissance ne soient ni trop nombreux ni trop peu. Ils doivent également satisfaire à plusieurs conditions d'espèce et de forme. On pourrait alors désigner sous le nom de phrase élémentaire, toute portion de la phrase ordinaire, telle que une fois lue ou entendue, tous les mots qui la composent soient rentrés dans le domaine purement mental, aient fini leur carrière en tant que mots distincts. Cela constitue un minimum au-dessous duquel le signe verbal reste attaché à son correspondant psychologique ; mais dès que les conditions sont satisfaites, les mots du groupe élémentaire ont agi, ils sont assimilés, et [*inachevé*] [*Variante*] [...] Le langage ne peut être étudié que par rapport à des phénomènes mentaux : ceux dont il provient et ceux qu'il suscite. Il se compose de groupes de mots échelonnés dans le temps.

Quelles que soient les théories qu'on adopte sur l'origine, la formation et les mécanismes du langage, les propositions suivantes me paraissent acceptables : L'action de l'individu sur le mot est nulle. Le dictionnaire nous est donné. La même règle s'applique aux éléments <u>nécessaires</u> de la phrase. Le langage communique l'homme à l'homme, et l'homme à lui-même. Son élément, le mot, <u>doit</u> posséder des propriétés psychologiques singulières. Je pense que la plus importante de ces propriétés est de conserver une relation invariable avec certains phénomènes psychiques. Toutes les fois qu'il se représente à notre connaissance, certains phénomènes se représentent. On le pense sans l'altérer. C'est peut-être le seul objet de pensée qui soit indépendant de la variation de la pensée. Je crois que le fondement de cette propriété réside dans l'arbitraire même par lequel un son est accouplé à une idée. Si nous apercevions une relation rationnelle entre ces deux termes, nous serions obligés de concevoir une variation du son des mots correspondante à toute variation de la pensée. Mais nous savons que le mot est physiquement invariable tandis que la nature même de la pensée est une variation continuelle. Pour éviter une sorte d'équation absurde entre une chose variable et une invariable, nous devons admettre que la relation de la figure physique du mot avec son correspondant mental est conventionnelle, et relativement indépendante de l'esprit qui s'en sert.

Il me faut aussi montrer le point d'application psychologique de la phrase. Toute phrase est fonction du temps. Dans toutes les langues possibles, il existe une certaine relation entre la variation de la pensée <u>le long</u> de la phrase, et la variation du temps. Il suffit, pour se démontrer cette proposition, d'imaginer une phrase de plus en plus longue. Le lecteur d'une phrase, à mesure qu'il s'avance dans sa lecture, transforme les groupes verbaux en événements psychologiques : il en fait des images, des idées, d'autres phrases. Mais pour que cette transformation s'opère, il faut que les termes écrits ou lus satisfassent à des conditions complexes. On pourrait désigner par le nom de <u>phrase élémentaire</u> toute portion de la phrase ordinaire des livres, telle qu'une fois lue, tous les mots qui la composaient soient <u>rentrés</u> dans le domaine purement mental, soient en quelque sorte finis en tant qu'éléments distincts. Ces mots ont agi ; ils sont assimilés et un ordre particulier est imposé à leurs significations.

Quel est le mécanisme de cette assimilation ? Qu'est-ce que la <u>compréhension</u> ? L'usage de la langue et par suite le principe de la littérature reposent sur cette question peu connue. J'ai montré que le mot considéré comme élément de la phrase est un objet invariable. Une suite de mots est donc <u>discontinue</u> par rapport à la variation de la pensée. L'existence du lecteur consiste à rendre cette suite continue en remplissant les intervalles des mots (ou plutôt des impressions psychologiques nées des mots) à l'aide de ses propres idées. Il insère entre des impressions plus ou moins voisines des phénomènes mentaux plus ou moins abondants. Si les intervalles paraissent trop <u>grands</u>, il y a incohérence, incompréhension chez le lecteur. S'ils paraissent trop <u>petits</u> il y a naïveté, tautologie, pléonasme. La <u>valeur</u> des phrases se fonde ainsi sur la différence des mots considérée, et mesurée par l'esprit individuel du lecteur ou de l'auditeur. Comprendre n'est donc que pouvoir substituer un arrangement organisé d'idées préexistantes chez celui qui comprend à un certain groupe discontinu de mots. De ce point de vue le travail littéraire est le <u>travail</u> dépensé à rapprocher les mots différents. Et dans l'esprit du lecteur, comme il est certain que tous les mots employés sont connus d'avance, le travail accompli dans la lecture sera mesuré par le changement de configuration du système de ces mots, imposé par la forme propre de la phrase qui lui est proposée. Ce travail sera mesuré encore par les productions psychologiques du sujet, lesquelles ont pour but de passer continûment d'un point à un autre de la phrase.

Dans la majorité des cas et surtout dans l'usage courant de la parole, nous substituons si aisément nos idées connues à toute phrase que nous oublions sur le champ tous les intermédiaires entre la pensée inconnue de notre interlocuteur et la nôtre. Mais si l'on reste conscient pendant ces opérations, l'on s'aperçoit que les mots ne sont pas les choses qu'ils désignent, on ne confond pas une phrase avec la mer, une ligne avec une existence.

L'écrivain peut s'apercevoir de même que ce qu'il écrit n'est ni la chose à laquelle il pense, ni même sa pensée. Le plus grand enthousiasme peut aboutir à une phrase plate et froide ; et c'est par un raisonnement enfantin que nous attribuons une grande passion à l'auteur qui nous passionne. Pour comprendre toute l'étendue de l'action littéraire il faut se représenter très nettement la situation relative de l'esprit de l'auteur de l'écrit et de l'esprit du lecteur. Aucune relation directe entre les deux esprits ainsi définis.

[...]

Si l'on examine toute la littérature sans tenir compte des noms d'auteurs, sans plaisir, sans se laisser charmer et agencer — c'est-à-dire en faisant attention à tout — et presque sans vouloir suivre les impulsions plus ou moins habiles des auteurs, c'est-à-dire en restant incrédule, consciemment — sans confondre les mots et les choses — — — on s'aperçoit qu'un livre n'est pas une existence, qu'un poème n'est pas la mer, qu'une phrase n'est pas un homme, et qu'un mot n'est pas la chose qu'il désigne. On s'aperçoit aussi qu'on aurait pu faire cette confusion que la majorité des hommes fait, et que nous-mêmes, et croire à ce qu'on lisait*. On voit aussi que dans cette majorité des cas, les mots jouent le rôle de pensées ou d'images, que la littérature est le travail dépensé à rapprocher les mots différents. La différence des mots fait la valeur de la phrase et cette différence n'est pas seulement une différence de chacun à chacun, mais elle se produit encore entre des catégories de mots — abstraits, concrets ——— particuliers, généraux etc. ou encore relatifs à telle classe d'images (suivant les sens) ou à telle série d'idées... etc. (historiques). Une phrase est en somme la succession dans un temps court et (peu varié) de mots ou plutôt d'impressions nées des mots. L'existence du lecteur consiste à franchir les intervalles de ces mots différents et à insérer entre des impressions plus ou moins voisines, des phénomènes mentaux plus ou moins abondants. On appelle compréhension l'état qui suit l'opération précédente. On voit de suite que les intervalles peuvent être trop grands et il y a incohérence, incompréhension chez le lecteur. Ils peuvent être trop petits comme dans le cas de — — et alors il y a naïveté, tautologie etc.

Les considérations précédent[es] sont compliquées dans certaines langues où un ordre traditionnel est imposé aux mots d'une phrase. Dans les langues du reste où cette obligation est très large, toute phrase longue est cependant classée en membres de phrase complets, les mots les plus importants étant isolés et bien placés.

Cette considération nous amène à séparer la littérature de son auteur pour ne considérer que son lecteur.

Elle conduit à envisager le cas d'une combinaison quelconque de mots. Si nous envisageons la littérature de ce point de vue, nous apercevons presque uniquement dans les livres

* entre les intervalles de chemins possibles.

les combinaisons des espèces de mots. Par exemple dans une phrase nous pouvons remarquer le mélange de mots appartenant aux diverses couches historiques de la langue —— nous aurons ainsi un certain nombre de données purement exactes sur la phrase sans avoir effleuré même son sens.

Si l'on a fait cet examen sur la littérature, on reconnaît bientôt que les combinaisons connues de mots se ramènent aisément à un nombre de types restreint [...] Plus l'œuvre est littéraire, plus les relations possibles des mots deviennent nombreuses. Plus il est permis d'accoupler les mots. Il est remarquable que le rôle de l'écriture soit éclatant ici. D'abord par la possibilité de faire varier certains mots d'une phrase écrite qui demeure fixe. De plus l'écrit est destiné à supprimer le rôle de la présence réelle de l'Auteur ; il doit porter avec lui, d'une façon indubitable, tout ce qui, ton de la voix, geste et physionomie s'ajoute au discours parlé. — De plus il permet d'avoir réfléchi, il conduit à supprimer les marques du temps de la réflexion. C'est une impression toujours réussie — et qui ne reste pas à court. Un homme qui écrit n'a jamais d'excuse. La parole écrite est donc toute autre chose que la parole parlée. De plus l'exercice littéraire conduit à considérer le mot en lui-même.

Expériences de variations psychologiques pour une classification id. [*psychologique*] des substantifs (Dimensions)

	images	concepts	R[éférence C[ommune]
arbre	n	o	r.c.
rougeur	n - m (= 1)	o	r.c.
valeur	n	n	$\equiv$
raison	n	n	$\equiv$
mouvement	n	o	r.c.
paroi	n	o	id.
ciel	n	o	id.
ivresse	n	o	id.
Dieu	n	n	$\equiv$
esprit	n	n	$\equiv$
définition	n	o	r.c.
calcul	n	o	r.c.

(Cahier « Analyse du langage » ; *C*, I, 151)

[*au verso*]
« Plan pour le langage » f⁰ 66 in « Notes anciennes II »

(BN ms)

Litt. analy-harm. —

justesse.

délices — magie —

Le langage et les degres de complexité

66

Toute homme : Réésol
prématurée

Plan pour le langage —
1. Inexistence hors d'esprit.
2. Relation avec compréhension
3. Le mot. définition. —   le dénominable.
   Relation fondamentale. sa sûreté — sa relativité
   Classification des mots — methode du geste.
      définition du verbe. — methode du geste.
   Correspondance des continu au Discontinu.
      abstraits et concrets. Relativité — classes d'abstrant — Déclenchement
      usage par Déclenchement et par operations.)
   Relation du rôle reperé et du rôle mité des mots —

Noms de nombre : qu'il était
nécessaire qu'on eût un systeme
de numeration, à cause de
l'infinitude. Or la phrase est aussi
est la même chose. elle est
nécessaire par l'infinitude des
choses —
   (ne pas confondre infinitude, ici
   avec infini. Infinitude avait
   la capacité de trouver une
   chose differente des choses
   connaissables entre telles
   limites.

4. la phrase. le temps. la self-motion — la lecture
   la phrase type. elementaire
   Relation de la flexion et de l'ordre Degré d'arbitraire dans l'ordre
      les accumulations —
   la phrase et les différences — travail —

5. vue d'ensemble.
   De representation de la pensée par le langage. Valeur, rendement
   la representation irrationnelle quant au mot est-elle conforme
   quant à la phrase ? !
      substitution d'un mot seul à une phrase et l'inverse —
   Difficulté des répétitions.
   suggestion et signification

6. le calcul sur le langage — le langage instrument de
   calcul —
   le raisonnement — le developp.t imaginatif —

7

UNE VISION POSITIVE OU NÉGATIVE DU LANGAGE ?

par Judith ROBINSON-VALÉRY

Dans l'étude de la pensée d'un esprit aussi complexe et aussi subtil que celui de Valéry, il est parfois bon de la regarder d'une très grande hauteur avec une volonté très consciente de simplification. Quand je regarde de cette façon les écrits du jeune Valéry sur le langage, je suis tout de suite frappée par le fait qu'on peut en faire une analyse extrêmement révélatrice d'un type purement formel. Cette analyse consiste à les diviser, quel que soit leur contenu sémantique précis, en deux catégories : les textes qui présentent ou évoquent, plus ou moins consciemment ou directement selon les cas, une image *positive* du langage (auxquels j'assigne le sigle P) et ceux qui en présentent ou évoquent, au contraire, une image *négative* (auxquels j'assigne le sigle N). Il me semble du plus haut intérêt pour une compréhension en profondeur de la pensée du jeune Valéry de soumettre ses écrits, même fragmentaires, et jusqu'à ses phrases individuelles, sur le langage à cette répartition schématique en deux catégories qui n'est pas sans rappeler une approche parfois employée en sémiotique et, dans un tout autre domaine, certaines méthodes structuralistes en littérature.

J'irai plus loin et dirai que la même méthode pourrait donner des résultats très utiles, et peut-être surprenants, si elle était appliquée à l'*ensemble* des réflexions de Valéry sur le langage tout au long de sa vie (la question la plus intéressante étant de savoir si les P l'emportent finalement en nombre sur les N, ou *vice versa*). Poussée plus loin encore, elle permettrait peut-être d'interpréter autrement, d'un autre « point de vue », comme le dirait Valéry lui-même, ses attitudes (car il en a plusieurs, parfois conflictuelles) à l'égard de la philosophie, par exemple, ou de la religion, ou encore de l'affectivité et de l'amour, en nous donnant des pourcentages précis de P et de N à méditer, pourcentages globaux pour la totalité de sa vie mais aussi, si on le voulait, limités à telle ou telle période ou durée, de manière à révéler les fluctuations et les transtions d'une « phase » mentale à une autre.

Mais bornons-nous pour l'instant à un ensemble limité de pages extraites d'un texte très représentatif de la pensée du jeune Valéry sur le langage : l'ébauche d'un article inachevé sur Mallarmé[1] qui est en fait essentiellement une étude sur le langage, et dont je voudrais entreprendre ici le premier commentaire. Cette ébauche d'article est de 1897, comme le sont aussi le cahier « Analyse du langage » (*C*, I, 141-51) et une lettre capitale à Gide (*Corr. GV*, 292) où Valéry, faisant allusion à son « Mallarmé » qui « *stagne* », dit-il, « *de plus en plus* », déclare avec un mélange caractéristique d'ironie et d'enthousiasme que ses « *études pour cet ours* » lui « *rapportent des épaves inattendues* », dont « *des propriétés assez curieuses concernant la théorie* psy. *des mots* », une définition du mot « *très séduisante* » (« *On le pense sans l'altérer* »), une nouvelle « *classification des mots* » qui « *serait à la vieille classification (concret-abstrait) ce que la gamme de tous les rayons connus maintenant est à la vieille lumière modeste* », et qui comprendrait « *des classes psychologiques de mots* » tenant compte des « *degrés de complexité* ». « *Toutes ces choses* [ajoute-t-il] *mourront avec moi — et même avant — mais je les aime.* » Notons en passant le côté très P de toutes ces remarques.

J'invite maintenant le lecteur à regarder en détail des

extraits du texte sur Mallarmé pour voir si cette attitude positive s'y retrouve. Il me semble plus sage et plus objectif de les soumettre à mon système de notation P/N en ajoutant le cas échéant des commentaires, mais sans indiquer les critères fondamentaux de mes choix, qui ressortiront peu à peu de l'analyse et qui seront explicités à la fin.

On remarquera immédiatement dans le texte l'*alternance* (qui est parfois une sorte d'oscillation ou d'ambivalence) entre les P et les N, ainsi que l'apparition de temps à autre d'un troisième sigle v dont la nécessité s'impose très vite pour désigner les remarques neutres, qui ne comportent (ou ne semblent comporter) aucun jugement positif ni négatif.

Les P, on le remarquera aussi, se transforment parfois en 2P, 3P, etc., ou encore en P^2, P^3, etc., et les N de même. La nuance exprimée par cette distinction entre 3P, par exemple, et P^3 me paraît capitale. En effet, alors que le sigle 3P traduit l'idée de trois éléments positifs (tantôt des parties de phrases, tantôt des mots individuels) qui se juxtaposent ou se succèdent d'une façon purement *linéaire* et, pour ainsi dire, *arithmétique* ($P + P + P = 3P$), le sigle P^3 traduit l'effet *cumulatif*, devenant à mesure qu'on avance dans sa lecture de la phrase ou du paragraphe de plus en plus fort, d'une réaction positive de Valéry qui va sans cesse en augmentant à mesure qu'il passe du premier élément P au deuxième et au troisième. Au lieu de s'ajouter simplement les uns aux autres, les éléments P *se multiplient*, faisant en quelque sorte boule de neige. Alors que les sigles du type 3P désignent une somme, ceux du type P^3 désignent un ensemble, qui l'emporte sur la somme en *complexité* et en *intensité*.

Les commentaires qui vont suivre ne porteront que sur les cas où les sigles P, N, v, 2P, P^2, etc. me semblent appeler des remarques particulières. Les autres sigles (avec lesquels le lecteur sera tantôt en accord, tantôt — peut-être — en léger désaccord) peuvent être repérés dans la marge du texte cité.

> Peu à peu, cette œuvre [*celle de Mallarmé*] et mon esprit se rapprochant,
> je vis entre les lignes autre chose qu'un effet particulier de la littérature
> P « chronique ». À mesure que je la connaissais plus, et que je m'étendais jus-
> qu'à ses pages les plus récentes, je m'avisais d'une trace générale à travers la
> P suite des poèmes. Je veux dire qu'en passant d'une pièce à une autre, tout
> 2 P changeait, tout recommençait, — sauf <u>quelque chose</u>, dont l'existence à part,
> 4 P et le développement me retinrent. Il y avait partout les signes d'une recher-
> che continuelle et les restes de tentatives toutes nouvelles ; indices qui,
> lentement, ont fait se déplacer dans mon esprit la notion de l'ouvrage,
> 8 P jusqu'à ce que je le goûte très différemment. Par-dessus tout brillait une
> p³ <u>volonté.</u> J'appelai, de ce nom quelconque, les sensations que me donnait la

Pour bien montrer le fonctionnement de la méthode d'analyse que je propose, commençons par une étude détaillée du
premier paragraphe.

La première phrase, évoquant l'œuvre de Mallarmé, l'oppose à la littérature dite « "*chronique*" » (P). La deuxième
parle d'une « *trace générale* » qu'avec la pratique des textes
mallarméens Valéry y discerne, et dont on pressent qu'elle lui
inspire des réactions positives (P), ce que confirme de plus en
plus fortement la partie de phrase suivante : « *tout changeait,
tout recommençait* » (2P), « — *sauf* quelque chose, *dont
l'existence à part, et le développement me retinrent* » (4P).
Quant à la quatrième phrase, elle pose la question (déjà
latente dans la phrase précédente) de savoir si on a affaire ici
à un phénomène du type linéaire ou du type cumulatif.
Optons, dans le doute, pour la première hypothèse en remar-
quant que le ton de la phrase est plus analytique qu'affectif
et que son dynamisme, quoique réel, est limité. Accordons-lui
cependant, en comptant les nombreux mots positifs et les
adverbes et adjectifs qui jouent ce qu'on pourrait appeler un
rôle d'« intensification », le sigle frappant de 8P. (Je laisserai
au lecteur le plaisir de retrouver les mots qui m'ont semblé
justifier ce chiffre.) La cinquième phrase, brève, ramassée,
dramatique, ascensionnelle, avec le soulignement du mot clef
volonté et l'image implicite du ciel étoilé, mérite clairement

un P^3. C'est un parfait exemple d'une multiplication, et non pas d'une addition, d'éléments positifs : chaque élément souligne et renforce les autres.

Dans la dernière phrase du paragraphe, qui résume tout ce qui précède, nous trouvons un entrelacement assez rare de P et de N. Le P que nous avons déjà rencontré et qui va dominer cette grande phrase-synthèse est lié à l'idée que quelques esprits de haute qualité — quelques grands écrivains en particulier — arrivent par l'art et surtout par la volonté à échapper à la littérature « *chronique* », à dominer le côté N du langage, à le sortir de ses ornières habituelles, à l'empêcher d'être ce qu'il risque d'être ou de devenir si on ne lutte pas contre ses tendances « entropiques ». Toute une série de mots ou d'expressions N insistent, par contraste, sur les différentes formes que prend cette lutte P chez Mallarmé : « *évitait à chaque instant mes prévisions - s'interdisait de prendre des habitudes - rompait régulièrement les groupes endormis, endurcis, des idées implicites - rendait infructueuse l'expérience d'un liseur rapide* » (Valéry, on le sait, méprisait le lecteur superficiellement rapide, si caractéristique, comme il l'avait prévu, de notre époque). Ces mots et expressions évoquant des N transformés en P atteignent le chiffre de 6, donnant ainsi un sigle 6N → 6P.

Un peu plus loin, Valéry nous offre un exemple intéressant d'un passage apparemment neutre, en ce sens qu'il constate l'inexistence d'une science moderne du langage, mais aussi positif en raison du ton général qui s'en dégage grâce à l'emploi d'un vocabulaire plein de conviction et même parfois de passion.

[...]

v/8Pᵛ/5P — Il est incroyable que les postulats de la littérature et que la théorie des moyens du langage soient moins connus que la nutrition des plantes et que la composition chimique des étoiles. Ce vide montre bien l'impuissance de la psychologie actuelle, et la pauvreté de ses méthodes. Personne n'a suivi les anciens qui avaient aperçu une science de la parole ; ils nous ont laissé sur ce point deux travaux de valeur très différente, auxquels nous n'avons rien à comparer. Nous n'avons guère ajouté à la Logique formelle, et nous n'avons pas approfondi la Rhétorique, tentative aussi remarquable et aussi grossière qu'ils ont pu la concevoir. [...]

Voilà qui me force à faire des hypothèses.

P   Je prends la littérature pour une extension des propriétés du langage.

Ce passage exprime en fait une idée positive très forte du langage non pas réel et existant mais virtuel (que je désignerai par P^V) ; on voit que le jeune Valéry appelle de tous ses vœux le contraire de ce qui existait à son époque : une science psycholinguistique aussi rigoureuse et aussi systématique que la botanique ou l'astronomie, et qui puisse reprendre en les développant d'une façon nouvelle les travaux des anciens. Cette idée insistante de la virtualité d'une science qui n'en est encore qu'à ses premiers balbutiements se reflète dans ces mots : « *incroyable - vide - impuissance - pauvreté - personne - rien à comparer - nous n'avons guère ajouté à - nous n'avons pas approfondi* » et qui méritent un sigle spécial de $v/8P^V$, auquel une analyse plus fine permettrait d'ajouter les éléments positifs de cette nouvelle linguistique qui existent déjà soit dans l'esprit de Valéry, soit dans des traditions héritées de l'antiquité : « *postulats de la littérature - théorie des moyens du langage* [idée très valéryenne : Que *peut* le langage ?] - *science de la parole - logique formelle - Rhétorique*[2] » (au total 5P).

Ces exemples concrets de la méthode d'attribution de sigles proposée ayant été donnés, nous pourrons rendre le reste de notre analyse un peu plus succinct.

2P   Le langage communique l'homme à l'homme, et l'homme à lui-même. Qu'il faille inventer <u>quelque chose</u> pour correspondre avec une race bien différente,

3P   — avec les Martiens, — et le problème s'élève. Il faut d'abord une commune mesure, une référence unanime, un objet qui résiste aussi à notre propre

P^{V3}   pensée incessante. [...]

      [...]

N   L'action de l'individu sur le mot est nulle. Le dictionnaire nous est donné.

Le paragraphe que nous venons de lire prépare la série importante, et très positive, d'énoncés qui suivent, et dont on remarquera le mouvement ascendant P, 2P, 3P, P^{V3}. Notons en passant les admirables définitions de la littérature (que Jakobson ou Barthes auraient pu contresigner) et du double rôle social et individuel du langage (« *Le langage communique l'homme à l'homme, et l'homme à lui-même* », cette dernière affirmation rattachant implicitement l'emploi du langage à l'accroissement de la conscience, notion que nous retrouverons par la suite). Les troisième et quatrième phrases, d'une extraordinaire modernité (les astrophysiciens recherchent précisément depuis longtemps cette « *commune mesure* » et cette « *référence unanime* » pour tenter de communiquer avec d'autres êtres vivants évolués) achèvent leur mouvement de plus en plus ascendant (préparé par le mot « *s'élève* ») par l'idée, capitale chez Valéry, d'« *un objet qui résiste aussi à notre propre pensée incessante* », à cette *self-variance*, à cette instabilité perpétuelle qui caractérisent toute notre activité mentale. Il est à remarquer que nous avons de nouveau affaire à une virtualité, à ce qu'il « *faut d'abord* » trouver, d'où le sigle P^{V3}.

Après tous ces cas P, et un bref intermède de v, Valéry nous lance subitement à la figure deux N abrupts : « *L'action de l'individu sur le mot est nulle* » et « *Le dictionnaire nous est donné* » (tout familier des Cahiers connaît les nombreux passages où Valéry insiste sur l'idée que notre dictionnaire intime est une entité qui nous est arbitrairement imposée par

135

Le mot physique, nous venant comme tant d'autres sensations, constitue une sensation singulière qui est distinguée du reste des sons ou des
figures, instantanément, dans la pensée. Je pense que sa propriété est de conserver à l'esprit une relation invariable entre certains phénomènes : toutes les fois qu'il se représente à notre connaissance, certains phénomènes se représentent. <u>On le pense sans l'altérer.</u> C'est peut-être le

le hasard, le passé, les autres — c'est-à-dire la société —, les traditions, les lieux communs et les à peu près). Mais tout de suite, et comme contrepartie, la spécificité du « *mot physique* » en tant que « *sensation singulière* [...] *distinguée du reste des sons ou des figures, instantanément* » est soulignée par une phrase à effet cumulatif, plus longue et ascendante, qui se termine, pour la première fois, par les mots lourdement chargés d'associations positives : « *dans la pensée* ». La phrase suivante (4P) développe l'idée du rôle du langage dans la vie mentale en le rattachant à celle de conservation et d'invariance (« *conserver à l'esprit une relation invariable* »), résumée dans la formule lapidaire *« On le pense sans l'altérer » (P).

Cette formule est devenue pour Valéry, comme le montrent aussi le cahier « Analyse du langage » et la lettre déjà citée à Gide, une sorte de théorème. Le langage est donc, peut-être, ajoute Valéry dans une phrase très forte, « *le seul* [remarquons l'accent qui tombe sur ce mot] *objet de pensée qui soit indépendant de la variation que la pensée est* » (nouvelle allusion au phénomène de self-variance auquel le langage échappe). Une autre vertu du langage — du langage parlé cette fois-ci — c'est que « *nous pouvons le produire physiquement toutes les fois que nous le voulons, toutes les fois que nous le pensons* ». Quatre concepts tous très positifs s'unissent dans ces quelques mots, avec leur structure syntaxique cumulative (« *toutes les fois que... toutes les fois que...* ») : celui de potentiel (« *nous pouvons* »), celui de volonté, celui de pensée,

136

P2 seul objet de pensée qui soit indépendant de la variation que la pensée est.
Il faut compter aussi que nous pouvons le produire physiquement toutes les
P4 fois que nous voulons, toutes les fois que nous le pensons.

v/N^V→3P

Je vais ajouter une hypothèse à une hypothèse. Je dirai que la propriété précédente existe parce que l'accouplement d'un son avec une idée, qui font [*sic*] un mot, est parfaitement arbitraire, dans le cas le plus général. Si nous pouvions apercevoir une liaison rationnelle entre ces deux membres, nous serions obligés de concevoir une variation du son correspondante [*sic*] à toute variation de l'idée. Mais le mot disparaît si le son change. Evitant une sorte d'équation absurde entre une chose variable et une constante, nous devons penser que la relation de la forme extérieure d'un mot avec son corrélatif mental est conventionnelle, non moins qu'indépendante de l'esprit qui s'en sert. [...]

et celui, plus caché, de la traduction possible du psychique en physique et *vice versa* (du ψ en φ, et du φ en ψ, pour employer les sigles des Cahiers) (P⁴).

Le passage qui suit montre une sorte d'hésitation chez Valéry (suggérée par la première phrase : « *Je vais ajouter une hypothèse à une hypothèse* ») entre une réaction v, une réaction N l'idée (qui n'est que virtuelle et dure peu de temps), et, très vite, une réaction P qui se dégage peu à peu et finit par triompher. L'argumentation, partant du P⁴ précédent, soulève le problème classique du rapport « *parfaitement arbitraire* » entre l'aspect phonétique et l'aspect sémantique d'un mot. Le mot *arbitraire* est souvent négatif chez Valéry, mais pas toujours et, comme on ne tarde pas à s'en apercevoir, pas ici. S'il existait, dit-il, une « *liaison rationnelle* », c'est-à-dire, dans son vocabulaire, logique, de cause à effet entre le « *son* » et l'« *idée* » qui cohabitent dans chaque mot, « *nous serions obligés de concevoir une variation du son correspondan[t] à toute variation de l'idée* ». Cela n'étant pas possible sans la destruction du mot, et sans commettre l'erreur conceptuelle d'introduire une « *chose variable* » dans cette « *constante* », cet invariant qu'est le mot pour l'esprit, « *nous devons penser* [écrit très fermement Valéry] *que la relation de*

137

     Regardons alors à travers un individu déterminé : et par l'entendement, éclairons quelque esprit dans le nôtre. Nous supposerons simplement que tout ce dont est capable cet esprit, toute sa définition, images, manières d'en changer, figures incrustées, sont dans un certain <u>ordre</u>, indifférent en lui-même. [...] Il s'ensuit que les mots définis comme nous venons de le faire sont eux-mêmes liés à des portions diversement <u>situées</u> de l'esprit que nous regardons.

v {

2P   Si nous proposons, maintenant, à cet esprit particulier, une phrase, nous saurons, avant tout, qu'elle forme avec lui un <u>système</u>. Tous les mots de la phrase étant <u>connus</u> du lecteur, c'est-à-dire liés d'avance à certaines propriétés de ce lecteur, l'existence de la phrase consiste à changer le certain

2P <u>ordre</u> initial des idées que chacun des mots entraîne invariablement avec lui. La phrase a pour fonction de produire une sorte de changement de configura-

2P tion dans un système donné et nécessairement préexistant. On dira, rigoureu-

3P sement, qu'elle accomplit un travail sur l'esprit du sujet.

la forme extérieure d'un mot avec son corrélatif mental est conventionnelle, non moins qu'indépendante de l'esprit qui s'en sert ». Le mot « *conventionnelle* » a ici la même connotation positive que dans l'analyse du rôle des conventions en mathématiques chez Poincaré, déjà à cette époque un des auteurs préférés de Valéry, et le mot « *indépendante* » nous ramène de nouveau à la notion d'invariance (3P).

Le paragraphe suivant offre un nouvel exemple d'une hésitation entre un v et un P, mais cette fois-ci chez le lecteur. Malgré le caractère neutre de l'exposition, nous rencontrons assez vite ce que j'appellerais des « mots P » qui annoncent et préparent un développement P. Ce sont les mots « *phrase* » et *« système »* (avec leur idée implicite d'organisation et de mise en relation). Mais ce qui démontre clairement qu'il s'agit d'une idée P, c'est la définition de la phrase comme produisant « *une sorte de changement de configuration dans un système donné* ». Cette définition associe à la notion, toujours positive chez Valéry, de structure une notion également très positive, et étroitement liée à ses lectures et réflexions scientifiques, de modification dynamique, que vient confirmer le υ   Il faut remarquer que le système que nous avons envisagé était incomplet. Le changement d'état qu'il subit par la simple intervention d'une phrase peut s'étendre au système complet de tout l'esprit, puisque chacun des éléments psychologiques intéressés peut toujours être relié à tout autre élément de

P⁷ l'ensemble de l'esprit. [...]

υ→P

    Pour poursuivre l'analyse de la phrase, il faut la considérer comme une fonction du temps. Dans tous les langages possibles, il existe une relation entre la variation du temps et la variation de la pensée le <u>long</u> d'une phrase. Il suffit pour se démontrer cette proposition d'imaginer une phrase aussi longue qu'il sera nécessaire. Le lecteur d'une phrase à mesure qu'il

mot clef de la dernière phrase, « *travail* ». Mais il ne s'agit pas de n'importe quel travail : celui qu'accomplit la phrase est, écrit Valéry dans une expression frappante et très positive, « *un travail sur l'esprit du sujet* » (c'est-à-dire sur l'esprit de l'être pensant individuel) (3P).

Le « *changement d'état* » que provoque ce « *travail* » est ensuite présenté dans une des phrases les plus ascendantes et les plus martelantes du texte comme susceptible de « *s'étendre au système complet de* TOUT *l'esprit, puisque* CHACUN *des éléments psychologiques intéressés peut* TOUJOURS *être relié à* TOUT *autre élément de l'*ENSEMBLE *de l'esprit* ». On sent en la lisant comment cette phrase est gagnée progressivement par un enthousiasme croissant et par l'évocation d'une extension croissante donnée à travers les mots accentués (« *s'étendre - complet - tout - chacun - toujours - tout - l'ensemble* ») à l'empire virtuel du langage, surtout organisé, sur les réseaux interconnectés du cerveau — idée extrêmement moderne et très proche des conceptions actuelles en neurophysiologie (P⁷).

Suit un développement très intéressant sur la phrase en tant que « *fonction du temps* ». Commençant par des affirmations neutres qui développent point par point l'argument, il évolue à partir de la première phrase dans une direction de plus en plus positive, mettant de nouveau l'accent sur le dynamisme du langage, mais ici tel qu'il est vécu par le lecteur-

	s'avance dans sa lecture transforme les événements verbaux en événements
3P	psychologiques. Il en fait des images, des idées, d'autres phrases ; j'ai pré-
5P	cisé plus haut les conditions de cette transformation. Mais pour qu'elle s'o-
	père, il faut que les termes du discours dont on prend connaissance ne soient
v	ni trop nombreux ni trop peu. Ils doivent également satisfaire à plusieurs
v	conditions d'espèce et de forme. On pourrait alors désigner sous le nom de
	phrase élémentaire, toute portion de la phrase ordinaire, telle que une fois
	lue ou entendue, tous les mots qui la composent soient rentrés dans le domaine
2P	purement mental, aient fini leur carrière en tant que mots distincts. [...]
	[...] Le langage ne peut être étudié que par rapport à des phénomènes
v/P	mentaux : ceux dont il provient et ceux qu'il suscite. [...]
	Quelles que soient les théories qu'on adopte sur l'origine, la formation et les
	mécanismes du langage, les propositions suivantes me paraissent accepta-
N	bles : L'action de l'individu sur le mot est nulle. Le dictionnaire nous est donné.
N N	La même règle s'applique aux éléments nécessaires de la phrase. Le langage

« consommateur » d'un texte « *à mesure qu'il s'avance dans sa lecture* ». L'idée de « transformer » et celle de « faire » contribuent fortement à souligner le côté actif et positif des « *événements psychologiques* » (« *images* », « *idées* ») qui ne cessent de naître des « *événements verbaux* » au cours de leur déroulement temporel, et d'en faire naître à leur tour (par exemple « *d'autres phrases* ») dans un échange continuel (3P, 5P).

Pour que cette transformation puisse avoir lieu, il faut cependant, affirme Valéry dans une courte parenthèse neutre, que certaines conditions soient respectées et « *que les termes du discours* [...] *ne soient ni trop nombreux ni trop peu* ». Il émet ensuite son hypothèse concernant la « *phrase élémentaire* », définie comme « *toute portion de la phrase ordinaire, telle que une fois lue ou entendue, tous les mots qui la composent soient rentrés dans le domaine purement mental, aient fini leur carrière en tant que mots distincts* » (c'est-à-dire soient complètement intégrés dans un nouveau réseau psychologique). Toutes ces idées, étant liées à des concepts d'organisation, de réorganisation et d'assimilation à des structures nouvelles, ont pour Valéry une charge positive indéniable.

140

2P	communique l'homme à l'homme, et l'homme à lui-même. Son élément, le
P	mot, <u>doit</u> posséder des propriétés psychologiques singulières. Je pense que la
	plus importante de ces propriétés est de conserver une relation invariable
P	avec certains phénomènes psychiques. Toutes les fois qu'il se représente à notre
P P	connaissance, certains phénomènes se représentent. On le pense sans l'altérer.
	C'est peut-être le seul objet de pensée qui soit indépendant de la variation
P2	de la pensée. Je crois que le fondement de cette propriété réside dans l'arbi-
P	traire même par lequel un son est accouplé à une idée. Si nous apercevions une
	relation rationnelle entre ces deux termes, nous serions obligés de concevoir
ʋ→P	une variation du son des mots correspondante à toute variation de la pensée.
	Mais nous savons que le mot est physiquement invariable tandis que la nature
P	même de la pensée est une variation continuelle. Pour éviter une sorte d'équa-
	tion absurde entre une chose variable et une invariable, nous devons admettre
	que la relation de la figure physique du mot avec son correspondant mental est
3P	conventionnelle, et relativement indépendante de l'esprit qui s'en sert.
ʋ→P	Il me faut aussi montrer le point d'application psychologique de la phrase.
ʋ	Toute phrase est fonction du temps. [...] Le lecteur d'une phrase, à mesure
	qu'il s'avance dans sa lecture, transforme les groupes verbaux en événements
7P	psychologiques : il en fait des images, des idées, d'autres phrases. [...] On
	pourrait désigner par le nom de <u>phrase élémentaire</u> toute portion de la phrase
	ordinaire des livres, telle qu'une fois lue, tous les mots qui la composaient
	soient <u>rentrés</u> dans le domaine purement mental, soient en quelque sorte finis
2P	en tant qu'éléments distincts. Ces mots ont agi ; ils sont assimilés et un or-
3P	dre particulier est imposé à leurs significations.

Dans la réécriture qui suit des notions développées jusqu'à ce stade du texte, Valéry nous permet de retrouver sous une forme plus concentrée plusieurs thèmes que nous avons déjà rencontrés. On remarquera jusqu'à quel point le sigle P y prédomine. Même dans la première phrase, qui appelle au début et à la fin un ʋ, il y a un P caché au milieu : là où Valéry fait allusion aux phénomènes mentaux que le langage « *suscite* », dans un acte proprement créateur. Et après trois N qui rappellent l'impossibilité pour l'individu de changer le vocabulaire et la syntaxe de sa langue, toutes les phrases qui s'enchaînent les unes après les autres dans cette longue récapitulation appellent, à une minime exception près, des sigles positifs ou extrêmement positifs. Je laisserai au lecteur le soin de les regarder lui-même.

$v\begin{cases}\end{cases}$ Quel est le mécanisme de cette assimilation ? Qu'est-ce que la <u>compréhen-</u>
<u>sion</u> ? L'usage de la langue et par suite le principe de la littérature reposent
sur cette question peu connue. J'ai montré que le mot considéré comme

P élément de la phrase est un objet invariable. Une suite de mots est donc <u>dis-</u>

v <u>continue</u> par rapport à la variation de la pensée. L'existence du lecteur
consiste à rendre cette suite continue en remplissant les intervalles des mots
(ou plutôt des impressions psychologiques nées des mots) à l'aide de ses

3P propres idées. Il insère entre des impressions plus ou moins voisines des phé-

2P nomènes mentaux plus ou moins abondants. Si les intervalles paraissent trop

N^V <u>grands</u>, il y a incohérence, incompréhension chez le lecteur. S'ils paraissent

Le développement qui suit la reprise de la définition de la « phrase élémentaire » est un des plus positifs de tous, et ébauche une théorie à son tour extrêmement positive de la lecture. Les trois premières phrases de ce développement, étant faites de questions (mais quelles bonnes questions, toujours actuelles !), appellent le sigle v, ainsi que la phrase (« *Une suite de mots est donc* discontinue *par rapport à la variation de la pensée* ») qui sert d'introduction à l'argument principal de Valéry. Mais à partir de ce moment nous rencontrons un véritable déferlement de P, que viennent rompre seulement deux N, et encore virtuels seulement. Examinons d'un peu plus près l'argument de Valéry : « *L'existence du lecteur consiste à rendre cette suite continue en remplissant les intervalles des mots (ou plutôt des impressions psychologiques nées des mots) à l'aide de ses propres idées* ». Le sigle 3P que j'ai donné à cette phrase est justifié par les trois idées qu'elle développe : premièrement, celle de l'introduction de la continuité, du passage du discontinu au continu, qui est toujours une idée positive pour Valéry (comme le montre, entre autres choses, toute sa réflexion topologique) ; deuxièmement, celle de l'adjonction au texte par le lecteur de « *ses propres idées* », qui viennent combler, « remplir » « *les intervalles des mots* » ; et troisièmement (notation très fine) celle des « *impressions psychologiques* » qui émanent des mots et

N^V trop petits il y a naïveté, tautologie, pléonasme. La valeur des phrases se
fonde ainsi sur la différence des mots considérée, et mesurée par l'esprit in-
3P dividuel du lecteur ou de l'auditeur. Comprendre n'est donc que pouvoir
substituer un arrangement organisé d'idées préexistantes chez celui qui com-
6P prend à un certain groupe discontinu de mots. De ce point de vue le travail

demandent à être complétées. La phrase suivante souligne en
le nuançant le processus qui vient d'être évoqué : « *Il insère
entre des impressions plus ou moins voisines des phénomènes
mentaux plus ou moins abondants* » (2P), affirmation qui évoque une initiative, une activité et une liberté mentales consi-
dérables, bien que variables selon les cas, qui existent chez un
lecteur vis-à-vis du langage. Notons en passant, avant de
revenir aux P, le rapport tout à fait frappant et extraordinairement prémonitoire entre les deux phrases portant le signe N^V
et écrites, rappelons-le, avant la fin du dix-neuvième siècle, et
deux courants de la pensée contemporaine sur le langage,
dans le sens très général d'un système d'informations ou de
signes transmissibles et servant à communiquer des faits ou
(ce qui intéresse Valéry beaucoup plus) des idées. On y trouve
en germe des concepts centraux de la théorie de l'information,
ainsi que l'ébauche d'une sorte de théorie générale de la
réception linguistique.

Les observations sur la « valeur *des phrases* » nous intro-
duisent maintenant dans toute une série d'analyses brèves et
concises du rôle du jugement de « *l'esprit individuel* » dans la
lecture et l'écoute. Toutes ces analyses sont forcément positives, et accumulent parfois plusieurs idées positives dans une
seule phrase, comme dans cette définition tout à fait moderne
et bourrée de sens de la compréhension : « *Comprendre n'est
donc que pouvoir substituer un arrangement organisé d'idées
préexistantes chez celui qui comprend à un certain groupe
discontinu de mots* » (6P). Conçue ainsi, comme elle l'est
aussi par la théorie de l'information, la compréhension devient

3P littéraire est le <u>travail</u> dépensé à rapprocher les mots différents. Et dans l'esprit du lecteur, comme il est certain que tous les mots employés sont connus d'avance, le travail accompli dans la lecture sera mesuré par le changement de configuration du système de ces mots, imposé par la forme propre de la phrase
5P qui lui est proposée. Ce travail sera mesuré encore par les productions psychologiques du sujet, lesquelles ont pour but de passer continûment d'un

une véritable création mentale. Il est à remarquer, d'ailleurs, que Valéry envisage l'écriture *et* la lecture, ainsi que la fonction de la phrase déjà mentionnée, comme un vrai « travail ». On peut donc parler d'une thermodynamique de l'écriture et de la lecture chez lui, impliquant en particulier les notions de dépenses d'énergie (le terme « *dépensé* » est utilisé), de « mesures » de ce travail (le verbe *mesurer* revient trois fois) et de contreparties du travail dépensé, l'entropie potentielle étant constamment remplacée par la nég-entropie que permet et assure la fonction structurante de l'esprit tant de l'écrivain que du lecteur : « [...] *le travail accompli dans la lecture sera mesuré par le changement de configuration du système* [*des*] *mots* ». Ce travail sera mesuré encore, écrit Valéry dans une phrase capitale et extrêmement positive, par « *les productions psychologiques du sujet, lesquelles ont pour but de passer continûment d'un* point *à un autre de la phrase* ». Notons ici un nouvel exemple du vocabulaire positif du travail (« *productions* »), mais surtout le concept de l'activité psychique du « *sujet* », qui consiste, précise Valéry, à se déplacer aussi librement que possible à l'intérieur de la phrase, de manière à créer entre les mots et les idées dont elle est composée le maximum de mobilité et de flexibilité, et le plus grand nombre possible d'interactions et de rapports. L'adverbe « *continûment* » souligne ce concept, presque certainement lié à celui d'« aller et retour » qui fait partie intégrante de la définition valéryenne de la conscience. Car un des éléments les plus importants de la conscience pour Valéry, c'est, à part

6P   <u>point</u> à un autre de la phrase.
    Dans la majorité des cas et surtout dans l'usage courant de la parole, nous substituons si aisément nos idées <u>connues</u> à toute phrase que nous oublions sur le champ tous les intermédiaires entre la pensée inconnue de
5N   notre interlocuteur et la nôtre. Mais si l'on reste conscient pendant ces

l'intégration et la différenciation qu'elle présuppose, la capacité de se déplacer d'un point de vue à un autre d'une idée ou d'une situation, non seulement ni même principalement dans une seule direction linéaire mais dans tous les sens, et notamment dans celui du retour en arrière. Toutes ces notions positives rassemblées dans une assez courte phrase autorisent le sigle 6P.

Tout d'un coup après une page entière de P, nous tombons sur la phrase négative, et même très négative, comme le montre mon très long soulignement : « DANS LA MAJORITÉ DES CAS ET SURTOUT DANS L'USAGE COURANT DE LA PAROLE, *nous substituons si aisément nos idées* connues *à toute phrase que nous oublions sur le champ tous les intermédiaires entre la pensée inconnue de notre interlocuteur et la nôtre* » (5N). Autrement dit, les mots prononcés dans la vie normale agissent sur notre cerveau comme des stimuli qui produisent des réflexes mentaux quasi automatiques. On se dit sans un instant de réflexion qu'on « sait » ce que l'autre « veut dire », on court au plus vite à la « compréhension », si superficielle ou même fausse qu'elle puisse être, oubliant toute cette zone obscure dont parle admirablement Valéry, zone qui se situe « *entre* » notre pensée et celle, toujours « *inconnue* » *malgré* ses paroles, de notre interlocuteur.

Mais au moment même où on commence à se dire que le texte de Valéry a perdu son élan et qu'il retombe d'une façon surprenante dans la négativité, il se produit un revirement complet de l'argument, symbolisé par le coup de clairon du « *Mais* » : « *Mais si l'on reste* CONSCIENT *pendant ces opé-*

opérations, l'on s'aperçoit que les mots ne sont pas les choses qu'ils désignent, on ne confond pas une phrase avec la mer, une ligne avec une
4P existence.

P3 L'écrivain peut s'apercevoir de même que ce qu'il écrit n'est ni la chose à laquelle il pense, ni même sa pensée. Le plus grand enthousiasme peut aboutir à une phrase plate et froide, et c'est par un raisonnement enfantin
υ que nous attribuons une grande passion à l'auteur qui nous passionne. Pour

rations, l'on S'APERÇOIT *que les mots* NE SONT PAS *les choses qu'ils désignent,* ON NE CONFOND PAS *une phrase avec la mer, une ligne avec une existence* ». Cette phrase très positive, dont le « *si* » est beaucoup plus affirmatif qu'hypothétique, rappelle le rôle essentiel que peut jouer la conscience dans les actes linguistiques : c'est elle qui permet de « s'apercevoir » qu'il y a une distinction fondamentale à établir, et à maintenir dans son esprit, entre les mots et les choses, et de « ne pas confondre » ces deux catégories tout à fait différentes (4P). On croit entendre parler M. Teste, né, il ne faut pas l'oublier, seulement un avant ce texte.

Le paragraphe suivant revient à l'écrivain dans une étonnante phrase ascendante : « *L'écrivain peut* S'APERCEVOIR DE MÊME [on remarque le retour de ce verbe évoquant d'une part la conscience et d'autre part l'intellectualité en acte] *que ce qu'il écrit* N'EST NI *la chose à laquelle il pense* NI MÊME *sa pensée* » (P³). Les deux niveaux successifs de prise de conscience, le dernier étant de beaucoup le plus élevé et le plus significatif, sont soulignés par le passage du « *ni* » au « *ni même* ». On ne manquera pas d'être frappé par l'extrême modernité de cette phrase, qui soulève toute la question, encore aujourd'hui d'une brûlante actualité, du « sujet de l'écriture ». Dire en 1897 qu'un niveau de conscience supérieur révèle que ce qu'on écrit n'est pas sa pensée était assez révolutionnaire, et le reste. Il n'était pas beaucoup plus courant de prétendre, comme Valéry le fait ensuite, que c'est un « *rai-*

146

comprendre toute l'étendue de l'action littéraire il faut se représenter très nettement la situation relative de l'esprit de l'auteur de l'écrit et de l'esprit du lecteur. Aucune relation directe entre les deux esprits ainsi définis.

3P
υ

[...]

Si l'on examine toute la littérature sans tenir compte des noms d'auteurs, sans plaisir, sans se laisser charmer et agencer — c'est-à-dire en <u>faisant attention à tout</u> —, et presque sans vouloir suivre les impulsions

sonnement enfantin » de croire qu'un état d'enthousiasme (ou de quoi que ce soit d'autre) chez l'auteur produise forcément de l'enthousiasme dans son texte. L'homme, dit clairement Valéry, n'est pas l'œuvre, ni *vice versa.* Après s'être débarrassé des clichés de la critique qui proclamait depuis des siècles le contraire de ces deux dernières vérités, Valéry énonce les prémisses d'une approche critique nouvelle, fondée, elle aussi, sur la volonté positive de « ne pas confondre » les choses : « *Pour comprendre toute l'étendue de l'action littéraire,* IL FAUT SE REPRÉSENTER TRÈS NETTEMENT *la situation relative de l'esprit de l'auteur de l'écrit et de l'esprit du lecteur* » (3P). Il s'agit ici d'une affirmation de l'interaction mentale complexe qui se produit entre l'auteur et le lecteur, mais à travers le texte seulement et son langage, car, ajoute Valéry, il n'existe « *aucune relation directe entre les deux esprits* ».

Au début des passages de réécriture qui suivent, nous trouvons une phrase particulièrement longue, riche et compliquée qui montre que, malgré tous ses P, il existe chez Valéry des N sous-jacents profondément enracinés, nés d'un scepticisme très grand à l'égard de l'emploi du langage dans la littérature et ailleurs, par exemple en philosophie. Dans le vocabulaire et la syntaxe mêmes de la phrase, il se livre une lutte serrée entre ces N et ces P. « *Si l'on examine toute la littérature sans tenir compte des noms d'auteurs* [idée très moderne qu'on retrouve chez les formalistes russes comme chez Genette],

147

plus ou moins habiles des auteurs, c'est-à-dire en restant incrédule, consciemment — sans confondre les mots et les choses——— on s'aperçoit qu'un livre n'est pas une existence, qu'un poème n'est pas la mer, qu'une phrase n'est pas un homme, et qu'un mot n'est pas la chose qu'il désigne. On s'aperçoit aussi qu'on aurait pu faire cette confusion que la majorité des hommes fait, et que nous-mêmes, et croire à ce qu'on lisait.

sans plaisir, sans se laisser charmer et agencer [autrement dit, sans se laisser manœuvrer par l'émotion comme le font presque tous les lecteurs] — *c'est-à-dire* en faisant attention à tout [voici, soulignée, l'idée de conscience, et même de conscience extrême, qui revient], *et presque sans vouloir suivre les impulsions plus ou moins habiles des auteurs* [en d'autres termes, en gardant ses distances intellectuelles], *c'est-à-dire en restant incrédule, consciemment* [comme M. Teste, et comme Valéry] — *sans confondre les mots et les choses* [on remarque ici le retour du thème positif de la dissociation] — *on s'aperçoit* [toujours la terminologie de l'intellect et de la conscience] *qu'un livre n'est pas une existence, qu'un poème n'est pas la mer, qu'une phrase n'est pas un homme, et qu'un mot n'est pas la chose qu'il désigne. »*

Rien n'est plus difficile que de fixer le nombre exact de N et de P qu'il faudrait attribuer à cette phrase. Une façon de compter les N, c'est de compter tout simplement le nombre de choses perçues comme négatives ou dangereuses qu'elle refuse. Ce total se mesure par le nombre d'occurrences du mot *sans* (5), suivi dans chaque cas d'un exemple des tromperies et des imprécisions de la littérature liée directement ou indirectement aux pièges du langage. Quant au total des P, il est composé du renversement, pour ainsi dire, de tous ces N que permet l'esprit tout à fait conscient et lucide (5), évoqué d'une façon répétée par les nombreuses expressions commentées ci-dessus. Pour que notre sigle exprime toutes les nuances de la phrase, il faut tenir compte du fait que son mouvement est doublement ascendant et cumulatif, d'abord pour ce qui est des N, qui se renforcent et s'intensifient mutuellement jusqu'à « *sans confondre les mots et les choses* », et ensuite pour ce qui est des P, qui se renforcent et s'intensifient de la même manière du début de la phrase jusqu'à la fin, d'abord à travers la réfutation systématique des N dans la première partie et ensuite — parfois simultanément — à travers les affirmations puissamment positives qui font de cette phrase une des plus vigoureuses du texte. Et cela, paradoxalement, à travers quatre *négations* d'un nouveau type qui viennent prendre le relais de la série de *sans*, et qui sont en réalité une dernière façon de ne pas « *confondre les mots et les choses* » : « *qu'un livre* N'EST PAS *une existence, qu'un poème* N'EST PAS *la mer* », etc. Je propose donc comme sigle final N^5/P^9, chiffre record tant pour les N que pour les P.

Dans la phrase suivante, infiniment subtile, Valéry nous montre que même la phrase extraordinairement complexe que nous venons de lire est dans une certaine mesure une simplification. Car, ajoute-t-il dans un désir évident de dire toute la vérité, « *On s'aperçoit aussi qu'on aurait pu faire cette confusion que la majorité des hommes fait, et que nous-mêmes, et* croire *à ce qu'on lisait* ». Cette phrase pleine de nuances appelle sans doute un $3N^V/5P$, les P l'emportant finalement sur les N — à mon sens, car la méthode appliquée dans cette étude, tout en se voulant rigoureuse, contient forcément une part subjective — à cause du regard ironique mais *conscient* (« *on s'aperçoit* ») et *lucide* (« *on aurait pu* », et surtout « *et que nous-mêmes* ») que Valéry jette sur ses propres erreurs virtuelles *et* réelles.

Laissant de côté un nouveau passage de réécriture où les P alternent avec quelques v, nous arrivons au passage final, où on assiste à une véritable explosion de P. Il s'agit d'une série de réflexions extrêmement denses sur le rôle du langage dans la littérature.

[...]

[...] Plus l'œuvre est littéraire, plus les relations possibles des mots
P5 P3 deviennent nombreuses. Plus il est permis d'accoupler les mots. Il est remar-
P3 quable que le rôle de l'écriture soit éclatant ici. D'abord par la possibilité
3P de faire varier certains mots d'une phrase écrite qui demeure fixe. De plus
l'écrit est destiné à supprimer le rôle de la présence réelle de l'Auteur ; il
doit porter avec lui, d'une façon indubitable, tout ce qui, ton de la voix,
P7 geste et physionomie s'ajoute au discours parlé. — De plus il permet d'avoir

« *Plus l'œuvre est littéraire, plus les relations possibles des
mots deviennent nombreuses.* » Il est étonnant de trouver dès
1897, dans cette affirmation tellement succincte, le concept de
« littérarité ». C'est une phrase d'une extraordinaire modernité
et une remarquable définition de ce qui fait qu'un écrit est
« littéraire », c'est-à-dire que s'y trouvent entremêlées ce que
nous appellerions de nos jours une densité d'information et
une richesse d'interconnexion entre les éléments linguistiques,
qu'ils soient sémantiques, phonétiques ou autres, qui dépas-
sent tout à fait les normes du langage non littéraire. La force
de conviction de cette phrase, jointe à l'effet d'intensification
produit par la structure syntaxique « *plus... - plus...* » et au
dynamisme du mot « *deviennent* », évoquant l'idée d'un
ensemble virtuel (idée particulièrement chère à Valéry) de
relations déjà nombreuses qui deviennent plus nombreuses
encore, crée une charge positive qui mérite à mon sens le
sigle P5. C'est ici un cas très net d'éléments positifs qui, au
lieu de s'ajouter tout simplement les uns aux autres, se multiplient. « *Plus il est permis d'accoupler les mots* » : bien qu'on
puisse hésiter quant au sigle à attribuer à cette courte phrase,
je pense qu'il faut la considérer, et la sentir, comme entraînée
dans le sillage de la longue phrase précédente et comme par-
tageant la même intensité, comme elle partage la même structure. Notons aussi, à côté du mot « *accoupler* », qui rappelle

150

réfléchi, il conduit à supprimer les marques du temps de la réflexion. C'est
P une impression toujours réussie — et qui ne reste pas à court. Un homme
ʊ→P qui écrit n'a jamais d'excuse. La parole écrite est donc toute autre chose que
P la parole parlée. De plus l'exercice littéraire conduit à considérer le mot en
P lui-même.

l'idée très positive de « *relations* POSSIBLES », la notion de possibilité et de virtualité qui revient dans le verbe ouvert et dynamique « *permis* ». C'est pourquoi je propose dans ce cas le sigle P³.

« *Il est remarquable* [continue Valéry] *que le rôle de l'écriture soit éclatant ici.* » Comme il est rare de trouver un mot comme « *éclatant* » dans la prose analytique de Valéry ! La force de l'impact de ces deux mots « *remarquable* » et « *éclatant* » dans la même courte phrase me pousse à lui attribuer un nouveau sigle P³. En quoi le rôle de l'écriture est-il « *éclatant* » ? La réponse de Valéry, composée de plusieurs éléments différents, s'étend sur tout le reste du paragraphe. Son premier élément de réponse est le suivant : « *D'abord par la possibilité de faire varier certains mots d'une phrase écrite qui demeure fixe.* » Cette phrase, d'un ton plus calme, contient cependant trois idées que tout le contexte rend positives : celle de « *possibilité* » ; celle, rappelant de nouveau la liberté de manœuvre vis-à-vis du langage, de « *faire varier* » ; et celle de la « fixité » que la phrase écrite confère à la mobilité constante de la pensée de l'écrivain, tout en lui permettant de modifier cette *fixité* pour penser, et exprimer, autre chose. C'est pourquoi elle mérite le sigle 3P.

« *De plus* [continue Valéry] *l'écrit est destiné à supprimer le rôle de la présence réelle de l'Auteur ; il doit porter avec lui, d'une façon indubitable, tout ce qui, ton de la voix, geste et physionomie s'ajoute au discours parlé.* » Nous retrouvons dans cette phrase le mouvement ascendant de celle du début du développement sur la littérarité (« *Plus l'œuvre est litté-*

raire, plus... »). Sa première partie (« *De plus l'écrit est des-*
tiné... ») peut sembler au premier abord ne mériter qu'un v,
mais la lecture de la suite révèle un mouvement ascendant de
la syntaxe avec une accumulation presque proustienne des
éléments successivement évoqués avant la chute finale qui est
en fait chargée d'émotion, de cette émotion propre aux idées
en train de se découvrir qui est si caractéristique de Valéry.
« *Porter avec lui* » (c'est-à-dire s'incorporer, idée nouvelle dans
le texte), « *d'une façon* INDUBITABLE », « TOUT *ce qui* »,
l'énumération des trois aspects de la présence de l'auteur,
vocale, gestuelle et visuelle (la visualisation portant sur ce
qu'il a à la fois de plus personnel et de plus intellectuel, un
visage), et enfin l'idée que tout cela, qui apporte au discours
parlé un éclairage et un enrichissement si grands, doit venir
« s'ajouter » en plus à l'écriture. Ces sept éléments, unis par
un même mouvement dynamique, suggèrent le sigle surprenant mais peut-être justifié de P[7].

Le texte écrit a aux yeux de Valéry une autre vertu encore
« *il permet d'avoir réfléchi, il conduit à supprimer les mar-*
ques du temps de la réflexion ». (Le sigle 2P marque ici les
deux aspects d'une idée très intéressante et tout à fait nouvelle par rapport à ce qui précède, le premier étant que la littérature permet en quelque sorte de vaincre le temps qu'exige
normalement la pensée, d'en brûler les étapes en arrivant tout
de suite au résultat de la réflexion de l'auteur, et le deuxième
étant qu'elle permet d'effacer jusqu'aux traces des stades successifs de ce travail mental.) « *C'est une impression toujours*
réussie — et qui ne reste pas à court. » (P). « *Un homme qui*
écrit n'a jamais d'excuse. » (Ce v apparent prépare en réalité
un P : « *La parole écrite est donc toute autre chose que la*
parole parlée. » En effet, ce « *toute autre chose* » est très positif ; tout le contexte l'indique). Et enfin — dernière vertu de
l'écriture — « *l'exercice littéraire conduit à considérer le mot*

en lui-même » (affirmation visiblement positive qui fait penser à des textes plus positifs encore comme « Poésie et pensée abstraite », ainsi qu'à de nombreux textes des Cahiers sur la poésie, où Valéry établit une distinction fondamentale entre le « mot-moyen » (par définition transitif) et le mot qu'on pourrait appeler un « mot-but » ou un « mot-fin ».

*

Faisons maintenant, pour la bonne méthode, le *compte objectif* des P, des N et des v que j'ai attribués aux phrases de ce texte. Quand deux sigles (par exemple v et P) ont été attribués à une même phrase, quelle qu'en soit la raison (ambivalence, glissement de sens de l'un à l'autre, etc.), j'ai donné à chacun d'entre eux la même valeur que s'il n'y en avait eu qu'un, de façon à ne pas noyer dans des statistiques abstraites les nuances complexes du phénomène que nous avions à étudier.

Les résultats de ce compte sont les suivants (et on verra tout de suite qu'ils sont *très* éloquents) :

19	P	2	P^2
10	2P	4	P^3
11	3P	1	$P^V 3$
3	4P	2	P^4
4	5P	1	P^5
3	6P	2	P^7
1	7P	1	P^9
1	8P		
1	$8P^V$		

Total : 66 P

5	N	1	N^5
3	N^V		
1	$3N^V$		
1	5N		
1	6N		

Total : 12 N (dont 4 virtuels seulement)

Et un *total de 16* v (dont certains, comme nous l'avons vu, ne représentent qu'une transition dans l'argumentation de Valéry entre un P et un autre ou ne font qu'annoncer un nouveau P caché sous cette neutralité apparente).

On voit que les P l'emportent largement sur les N. D'ailleurs, un compte plus nuancé arriverait à un total de P infiniment plus élevé encore par rapport aux N, car il est évident qu'il y a un monde entre un P et, disons, un 5P, et encore plus entre un P et un P^5. Si, par conséquent, on voulait compter toutes les gradations de P et de N, et si au lieu de prendre comme unité de base le chiffre 1, on prenait 2 pour permettre de bien distinguer entre les 3P et les P^3, etc., on atteindrait une somme de P tout à fait saisissante, qui noierait presque la somme des N.

Avant de commenter ces résultats, je voudrais préciser les *critères* en fonction desquels j'ai choisi mes P et mes N, et dont j'ai indiqué implicitement quelques-uns au cours de mon analyse. J'ai été, bien entendu, influencée par une très longue fréquentation de l'écriture de Valéry, qui me permet, comme à d'autres spécialistes de son œuvre, de sentir à travers son choix de vocabulaire, et aussi à travers la structure des phrases, la charge d'émotion positive ou négative qu'elles contiennent. Mais, au-delà de ce rapport qui existe certainement, et tout à fait objectivement, chez lui entre son emploi de la langue et son état affectif, j'ai tenu à dégager du texte lui-même les critères proprement intellectuels de valorisation ou de dévalorisation du langage qui s'y expriment (ou qui s'y laissent deviner) et qui caractérisent d'autres textes de la même époque (par exemple *La Soirée avec Monsieur Teste*). Ces critères ont été les suivants :

1) le rapport (P) ou l'absence de rapport (N) avec le monde réel que le langage entretient (c'est-à-dire la question de savoir si, oui ou non, il traduit fidèlement les choses qui existent et/ou s'il invente des choses qui n'existent pas) ;

2) son degré d'adéquation (P) ou d'inadéquation (N) à la pensée ;
3) le degré de précision (P) ou d'absence de précision (N) qui le caractérise, sa capacité de cerner du plus près possible les idées et les phénomènes au lieu de les déformer ou de les fausser ;
4) le degré de lucidité et de conscience qu'il exige et obtient (ou n'obtient pas) de celui qui l'« émet » (celui qui écrit ou qui parle), ainsi que de celui qui le « reçoit » (celui qui lit ou qui écoute) ;
5) (et peut-être surtout) l'appel qu'il fait, ou ne fait pas, à la plénitude des capacités intellectuelles et des activités structurantes de l'esprit.

Ces critères, chose intéressante, sont restés très constants à travers la vie entière de Valéry : on peut en retrouver le reflet dans maints passages des Cahiers de toutes les époques.

Quelle conclusion faudrait-il donc tirer de notre compte ? D'abord et avant tout, me semble-t-il, qu'il est très surprenant, en raison de la prépondérance tellement marquée des P sur les N. Or, tout valéryen sait qu'on peut dire en gros, sans *aucun* risque de se tromper, qu'après une attitude assez positive à l'égard du langage pendant sa jeunesse (à l'époque où il écrivait des poèmes et des textes en prose dans le langage un peu stéréotypé de l'époque et jouait avec l'idée de faire une carrière littéraire), la crise de 1891-1892 a introduit une coupure brutale dans ses rapports avec le langage, vu à ce moment-là et longtemps après (pendant toute sa vie aux yeux de certains critiques) comme *la* principale source d'erreur, qui fait croire par des mots trompeurs à l'amour, aux émotions en général, à la littérature, à la religion, à la métaphysique et à toutes les autres « Choses Vagues ». Les mots, il ne fallait plus y croire ; c'était comme si Valéry avait perdu la foi dans le langage en même temps qu'il a perdu la foi en Dieu. Mille phrases des Cahiers soulignent cette amère conviction, à commencer par celle du « Journal de bord », son premier cahier, donc de 1894, qui parle de « *ce fait (tautologique) que les erreurs et les contradictions n'ont lieu que par le langage et dans lui* » (C, I, 30). Sans avoir eu le temps d'en faire le compte, qui demanderait l'aide d'un ordinateur très bien programmé, je suis presque certaine (c'est du moins l'impression que m'ont donnée toutes mes lectures des Cahiers) que dès qu'il s'agit du langage le côté N prédomine largement sur le côté P. Cela est surtout vrai si on compte, comme il faut le faire pour être juste, tous les passages, appelant souvent un sigle allant de N^2 à (parfois) N^n, ou presque, qui figurent sous les rubriques « Philosophie », « Psychologie », « Thêta », « Histoire-Politique », etc., et où le procès du langage est impitoyablement recommencé. Il faudrait, bien entendu, équilibrer ces N par tous les P explicites ou implicites des réflexions sur la poésie, par exemple, sans parler du travail poétique lui-même, comme celui, interminable, consacré à *La Jeune Parque*, qui est en soi une forte valorisation du langage. Ce n'est peut-être pas un hasard que le cahier « Langage », qui contient tant de passage positifs sur les potentialités des mots, sur la richesse de leurs relations réciproques à l'intérieur des phrases et sur les rapports fructueux et créateurs qui peuvent exister entre eux et les idées dans l'esprit[3], soit des années 1911-1914, c'est-à-dire de la période qui coïncide à peu près avec le retour de Valéry à la poésie. Il n'empêche que la constance, la violence même des attaques contre le langage sous toutes ses formes, littéraires, philosophiques et autres, est un des traits les plus immédiatement visibles des *Cahiers*, comme des *Œuvres*.

Et sans même nous rapporter aux *Cahiers*, nous pourrions très bien nous contenter de rester dans l'époque du texte sur

Mallarmé que nous venons d'analyser en relisant quelques brefs extraits de *La Soirée avec Monsieur Teste*, qui est, nous l'avons vu, de l'année précédente, 1896. D'abord, que dit le narrateur ? « [...] *Cela m'a fait connaître que nous apprécions notre propre pensée beaucoup trop d'après l'expression de celle des autres ! Dès lors, les milliards de mots qui ont bourdonné à mes oreilles, m'ont rarement ébranlé par ce qu'on voulait leur faire dire ; et tous ceux que j'ai moi-même prononcés à autrui, je les ai sentis se distinguer toujours de ma pensée, — car ils devenaient* invariables » (*Œ*, II, 15). Quant à Teste : « *Il parlait, et sans pouvoir préciser les motifs ni l'étendue de la proscription, on constatait qu'un grand nombre de mots étaient bannis de son discours. Ceux dont il se servait, étaient parfois si curieusement tenus par sa voix ou éclairés par sa phrase que leur poids était altéré, leur valeur nouvelle. Parfois, ils perdaient tout leur sens, ils paraissaient remplir uniquement une place vide dont le terme destinataire était douteux encore ou imprévu par la langue.* » (18-9).

Ce dernier texte est-il entièrement négatif ? Oui et non, car s'il laisse évidemment entendre que Teste est une sorte de virtuose du langage, sachant tirer *en pleine connaissance de cause* de cet instrument *très imparfait* des effets tout à fait neufs et comme nettoyés de toute scorie, il n'en reste pas moins que l'instrument ne vaut, selon lui, presque rien, ce qui explique son affirmation orgueilleuse « *Je suis chez MOI, je parle ma langue* » (*Œ*, II, 22), c'est-à-dire celle qu'il a inventée ou qu'il cherche à inventer pour pouvoir parler avec une vraie rigueur, lui qui « *ne disait jamais rien de* vague » (19). En attendant, ses paroles sont extrêmement rares ; le plus souvent il se tait (comme devait le faire beaucoup plus tard, pour d'autres raisons, Faust[4]), ou se contente d'une brève remarque sibylline, comme si lui, comme Valéry, ne cessait de se méfier des déformations que les mots risquent d'infliger à la pensée.

Il se pose donc à mes yeux une question capitale, et passionnante. Pourquoi, après avoir jeté, si l'on peut dire, l'anathème sur le langage en 1892, et de nouveau dans la *Soirée* en 1896, Valéry a-t-il adopté une attitude tellement plus positive à son égard en 1897 dans le texte sur Mallarmé, quitte à revenir très vite, du moins dans ses écrits théoriques, à son attitude négative de juste avant et juste après la nuit de Gênes ? Qu'est-ce qui l'a tellement déçu ? Qu'est-ce qui l'a détourné de ce moment de si grand enthousiasme ? Ses tentatives d'analyse du langage, comme celles qu'on trouve dans le cahier de 1897, ainsi que dans le cahier « Tabulae meae Tentationum », commencé la même année, ont-elles tourné court ? En a-t-il été mécontent ? Ce ne serait pas là une raison ni une explication suffisante. Toutes sortes d'analyses ébauchées et même menées très loin dans les Cahiers n'ont pas abouti sans que Valéry se soit retourné, en quelque sorte, contre leur objet.

Ou faut-il y voir autre chose de beaucoup plus intime ? 1897, c'était une des grandes années de fréquentation de Mallarmé par le jeune Valéry. J'ai dit récemment toute l'importance que j'attache aux rapports fils/père, et même fils/père idéal[5], qui ont existé à cette époque entre eux, et qui les ont entraînés, malgré certaines résistances intellectuelles de Valéry, dans toutes sortes d'échanges, de plus en plus intimes justement, sur le langage et ses innombrables virtualités (déployées, par exemple, dans le *Coup de dés*, dont Mallarmé a fait à Valéry, toujours en 1897, le don symbolique des épreuves corrigées de sa main) et sur le langage, surtout poétique, comme miroir possible des opérations les plus complexes et les plus subtiles de l'esprit. Puis, un an après la rédaction de notre texte (laissé, et c'est significatif, inachevé), Mallarmé est mort, subitement, brutalement, et Valéry en a été bouleversé jusqu'au fond de son être. La foi de Mallarmé en le langage, les possibilités quasi illimitées dont il le croyait doué et dont il avait imprégné l'esprit et l'imagination de son « fils » adoptif, sont-elles « mortes » aussi en Valéry — tout au moins en partie — ce même jour fatidique du 11 septembre 1898 ? Ce n'est là qu'une hypothèse, mais je ne la rejette pas entièrement, d'autant plus qu'elle n'exclut nullement ces moments de « résurrection » du langage comme valeur positive, ou comme matière intrinsèque à manier amoureusement, qui caractérisent souvent, pour notre plus grand bonheur, les *Cahiers* et les *Œuvres*.

1. Voir le volume *Mallarmé* du Fonds Valéry de la Bibliothèque Nationale, pp. 27 sqq.

2. Claude Valéry se rappelle de nombreuses allusions par son père dans des conversations au grand intérêt de l'idée de figures de rhétorique et à la nécessité de prolonger la rhétorique des anciens dans un sens actuel.

3. Citons, à titre d'exemples, deux fragments : « *Par les mots intérieurement soufflés et ouïs, j'explore ma pensée, ma possession, mon possible — je me parcours mot à mot ; et sans eux, rien ne serait net intérieurement* » (p. 11) et « [...] *ce n'est que par le langage que l'activité intérieure peut prendre une forme réglée ; avancer en elle-même ; se servir de moyen à elle-même ; s'ajouter ; se retrouver ; se diviser en questions et en réponses — porter partout une connexion et une conservation —* » (p. 77). Voir mon étude « Le cahier "Langage" : Une approche très neuve d'un vieux sujet », *Bulletin des Études valéryennes*, n° 41, mars 1986.

4. Voir l'affirmation de Faust dans « "*Mon Faust*" » *(Ébauches)* : « Le Solitaire » (*Œ*, II, 401) : « *Le véritable vrai n'est jamais qu'ineffable* ». Cf. deux des ébauches du Duo du quatrième Acte de « Lust » : « *Viens. Sois plus proche encore, Écoute-moi car je me tais. Je me tais de tout mon cœur (Silence)* », et : « *Nous serions comme des dieux — des harmoniques intelligents, dans une correspondance directe de nos vies sensitives sans paroles [...]* » (« "*Mon Faust*" » : *Textes inédits* (présentés par Ned Bastet), dans *Cahiers Paul Valéry 2 : "Mes théâtres"* [Paris, Gallimard, 1977], pp. 73, 82).

5. Voir mon étude « Mallarmé, le "père" idéal », *Littérature*, numéro spécial "*Paul Valéry*", n° 56, déc. 1984.

TABLE

exemplaire conforme au Dépôt légal d'avril 1987
bonne fin de production en France
numéro d'édition A 225
Minard 73 rue du Cardinal-Lemoine 75005 Paris